D1269496

TOUS DES CANCRES

PRINCIPAUX OUVRAGES DU MÊME AUTEUR

Livres drôles pour tous :

Les perles du facteur (Calmann-Lévy).
Les nouvelles perles du facteur (Calmann-Lévy).
La foire aux cancres (Calmann-Lévy).
Le rire en herbe (Calmann-Lévy).
L'école des malins (Presses de la Cité).
Hardi ! les cancres (Presses de la Cité).
Vingt cancres après (Presses de la Cité).
Le carnaval du rire (Rouge et Or).
Le livre d'or des mots d'enfants (Presses de la Cité).
La foire aux cancres continue (Calmann-Lévy).
La bataille du rire (Presses de la Cité).

Livres drôles pour adultes :

Histoires a ne pas mettre entre toutes les mains (Calmann-Lévy).
Histoires croustillantes avec le carré blanc (Presses-Pocket).
Histoires gratinées avec le carré blanc (Presses-Pocket).

Livres utiles :

Simple dictionnaire d'éducation sexuelle (Solar).
Le b...a...ba de l'éducation sexuelle (Solar).

Romans :

Où est donc ma femme ? (Plon).
Phama, Prix Goncourt (Plon).

JEAN-CHARLES

TOUS DES CANCRES

CALMANN-LÉVY

A ma nièce Marie-Ève

Préambule

« QUAND on a corrigé quarante ou cinquante copies, il n'est rien de plus agréable qu'une bonne perle qui fait rire et oublier les âneries sans humour », m'écrit une professeure [1] de Compiègne.

Il y a belle lurette en effet que les perles aident les enseignants à supporter les difficultés de leur métier. Mais le métier d'élève n'est pas facile non plus. C'est pourquoi nombre de potaches m'envoient les perles de leurs professeurs.

Qu'elles soient recueillies d'un côté ou de l'autre, ces perles ou ces bulles (pour parler comme les lycéens) sont drôles. Pourtant, elles ne laissent pas d'affliger certains.

« Je crois, m'écrit un professeur en retraite, être assez proche de votre sentiment profond en disant,

1. Je sais bien que l'on ne doit pas écrire *une professeure*, avec un *e* à la fin, mais je sais aussi qu'il y a de plus en plus d'enseignantes et je trouve qu'il est temps de se décider à mettre professeur au féminin.

avec Musset, que lorsqu'on vient d'en rire on devrait en pleurer. »

En réalité, je pense qu'il ne sert à rien de pleurer et je préfère profiter de ce nouveau collier pour rappeler mes idées sur la réforme de l'enseignement. Sans illusions, d'ailleurs.

Dix ans ont passé depuis le moment où j'écrivis *la Foire aux cancres*. Or, à quelques détails près, les critiques que je faisais contre l'enseignement de 1962 restent d'actualité. La France est un pays conservateur et les réformes annoncées à grands cris par certains ministres de l'Éducation nationale n'ont en réalité pas changé grand-chose.

Heureusement, les Français ont conservé l'habitude de rire. Si ce livre ne contribue pas à améliorer l'enseignement, il sera utile, comme tout ce qui permet de se détendre et d'oublier les difficultés de la vie.

C'est pourquoi je ne me suis pas cantonné dans les écoles et les lycées. Élargissant le champ de mes recherches, j'ai recueilli des perles dans les endroits les plus divers, car si un film célèbre a pu affirmer un jour que nous sommes tous des assassins, il est non moins certain que nous sommes tous des cancres.

Les oreilles discrètes

Un professeur de français disait à un élève :

— Gilbert, pouvez-vous me répéter ce que je viens de dire?

— *Excusez-moi, monsieur, mais j'écoutais d'une oreille discrète.*

Les oreilles discrètes sont à l'origine de bien des perles, non seulement en France, mais en Belgique, en Suisse, au Canada et dans un peu tous les pays francophones. Les petits distraits s'y voient déjà de grands savants, tel cet élève tunisien qui disait :

— *Je voudrais être un savon* [1] *pour inventer des inventions nouvelles.*

Parmi les savons célèbres, les cancres citent :

Turgot est l'inventeur du turgot-réacteur.

Voltaire est l'inventeur des volts.

L'inventeur du gaz a été Philippe le Bon en 1790.

1. Comme pour mes précédents recueils, j'ai corrigé dans les perles les fautes d'orthographe qui, contrairement à celle-ci, ne présentent pas d'intérêt.

La pomme de terre a été amenée par Carpentier-Fialip.

Benjamin Franklin fabriqua l'électricité avec la foudre.

Les frères Lumière ont inventé l'électricité, la lumière, d'où son nom.

Le camembert est un fromage fabriqué en Normandie, et qui a été inventé par un sapeur qui avait une grande barbe.

Pascal, dès son jeune âge, a retrouvé seul les trente-deux positions d'Euclide.

Cette phrase est l'œuvre d'un élève de terminale, mais il est à peu près certain qu'il s'agit là d'une perle volontaire. Les perles de ce genre sont destinées à faire rire les copains et il n'est pas toujours facile de les distinguer des vraies. D'autant que des petits malins essayent parfois de m'abuser.

Comme tous les experts, je ne suis pas infaillible. Mais, ayant soigneusement éliminé ce qui me paraissait douteux, je crois pouvoir dire que les perles de ce livre sont toutes des vraies perles d'inculture. A commencer par celles-ci :

Pasteur a inventé les piqûres contre les bêtes qui mordent les gens humains.

Pasteur a sauvé un enfant de l'orage.

Margarine a été le premier homme à voyager dans l'espace.

Ce n'est pas fini puisque, selon un élève du Nord, *l'an 2000 sera le siècle de la science friction.*

Sans doute, à ce moment-là, utilisera-t-on la

télépathie qui ***consiste à se parler de loin sans le dire, sans s'entendre et sans le savoir*** [1].

En 1970, au cours d'une interview [2] qui n'avait rien de télépathique, Robert Boulin, ministre de la Santé publique et de la Sécurité sociale, déclara, entre autres choses, qu'il était partisan d'enseigner le secourisme, non seulement au lycée, mais dès l'école primaire.

— D'ailleurs, ajouta-t-il, c'est une des propositions que j'ai faites au ministre de l'Éducation nationale.

J'ai été ravi de cette proposition car Robert Boulin (qui fut mon condisciple au lycée de Talence et au lycée de Bordeaux) rejoignait là ce que je disais déjà dans *la Foire aux cancres*, en 1962.

En attendant la généralisation du secourisme à l'école et au lycée, voici des perles qui montrent que les cancres ont tout de même quelques idées sur le sujet. A commencer par les candidats au certificat d'études 1970, dans l'Essonne.

On s'asphyxie par étouffement de l'air.

On s'asphyxie en sautant par la fenêtre.

Le sang se charge de gaz et va dans l'œillet droit.

Les personnes éclatent et c'est alors que l'on fait le bouche à bouche.

Il faut mettre la personne sur le ventre, s'allonger sur elle et se relever environ quinze fois par minute.

1. Cité par *l'Action laïque* en 1964.
2. *Elle*, 23 février 1970. Interview prise par Françoise Tournier.

*
* *

— Que contient l'os? demandait un professeur.
— Euh!...
— De la mo...
— *De la moselle.*

En Moselle comme ailleurs, les futurs secouristes ont besoin d'avoir des notions d'anatomie et de physiologie. L'anatomie étant, selon un cancre lorrain, l'*étude des atomes.*

Certes, on pourrait tout résumer en une phrase, comme cet élève israélien qui disait : *L'homme est une cervelle qui marche sur deux jambes.* Mais je préfère donner des détails :

Les os du bras sont le radius, le cubitus, le trolleybus. Et selon un autre élève, *le négus.*

Dans le genou, il y a de la symphonie.

Le cerveau est formé de l'ancêtre Phal et de la poêle pépinière.

Quand on regarde un objet, l'image se forme sur le tympan.

L'oreille est très fragile. Il ne faut pas faire pénétrer un objet pointu de peur de crever le tibia.

L'air arrive aux poumons par la très chère artère.

Lorsque nous expirons, il reste toujours 1,5 litre d'air résidentiel dans nos poumons.

La digestion est l'alimentation qui se jette dans toutes les parties du corps.

Le cœur est un muscle squelettique.

L'appareil circulatoire se compose de la grande circulation et de la petite circulation.

Derniers détails :

L'homme est un mammifère, surtout la femme.

On dit que l'homme est plantigrade parce qu'il peut manger des plantes.

Les vieillards sont des hommes âgés devant se tenir sur un bâton.

*
* *

Selon une statistique, publiée en août 1970 par *France-Soir*, 46,9 % des appartements parisiens n'ont ni douche ni baignoire. Je n'ai pas de statistiques pour le département de l'Essonne, mais je sais qu'au certificat d'études 1969 on demanda aux candidats quels appareils ils installeraient dans un pavillon neuf. Voici des réponses relevées par un correcteur d'Arpajon :

Dans la salle d'eau, il faut un bagnard parce que dans un bagnard on est à l'aise.

On placera un bidet à mazout.

Les W.C. dans le jardin attirent les microbes nuisibles.

Dans la salle à manger, il faut des bouches.

En juin 1964, au B.E.P.C. d'Ouagadougou (République voltaïque), un des sujets à traiter était le rôle de la lampe dans la civilisation moderne. Voici des réponses [1] qui prouveront que les cancres d'Afrique sont dignes de ceux de France :

1. Citées par *le Canard enchaîné.*

La lampe accélère la vitesse du train d'avancement de la civilisation.

L'absence de lampe est une cause de divorce.

Pour la cuisine, la ménagère s'en sert beaucoup, grâce à elle, elle verra les microbes qui nagent au-dessus de l'eau.

Dans l'Administration, on trouve la lampe sous forme d'ampoule.

*
* *

Une candidate au B.A.A., à Alençon, affirma :

— *Si un enfant est triste c'est qu'il est maladieux.*

Alors qu'un petit Tunisien a dit :

— *J'aimerais être médecin parce qu'il soigne une personne qui vient de mourir.*

Avant de mourir, défendons-nous contre les maladies. D'abord, procédons à des examens :

Le stéthoscope représente un pas vers la pudeur humaine.

Une cuti positive prouve que la personne a été en contact et avec le microbe et que si un jour elle serait vraiment atteinte, elle mettrait plus de temps à mourir que la personne qui a une cuti négative.

Le groupe sanguin est un amas de petits vaisseaux que l'on trouve sur les tranches de jambon.

Parfois il faut opérer :

Les chirurgiens mettent un masque pour éviter de respirer.

Et la science ne s'arrête jamais :

Les savants essaient de nouveaux médicaments sur des cobalts.

On inocule un microbe à un cheval qui fabrique des antitocsins.

*
* *

Il faut repeupler le maximum de personnes, a dit un cancre. Et une élève infirmière a donc eu raison d'écrire que *les hommes joignent l'utile à l'agréable.*

Selon un petit Algérien, *l'homme c'est le contraire de la femme*, alors que, d'après un élève tunisien, *une femme c'est un homme au féminin.*

Cet homme au féminin a des bébés :

La fécondation, c'est le passage de l'état liquide à l'état solide.

On met les prématurés dans des chambres à air pour les faire respirer.

L'allaitement maternel est bon parce que le lait provient de vaches non tuberculeuses.

Et selon des candidats au C.E.P. :

Avant d'allaiter, il faut se tremper les seins dans l'eau bouillante.

Le lait qui peut remplacer le lait maternel est le lait paternel.

Sevrer un enfant, c'est remplacer les seins par des légumes.

Une jeune Canadienne a écrit dans un devoir d'histoire romaine :

Après la cérémonie du mariage, la jeune fille, en occurrence l'épouse, était conduite à la demeure de son époux et là il se passait le phénomène.

A Lorient, les candidats au B.E.P.C. (1970) savent encore plus de choses :

Avant le XXe siècle, la femme était toujours en dessous de l'homme.

Aujourd'hui, les jeunes se marient avec la pureté depuis longtemps envolée.

Avec la pilule, il suffit d'en prendre une ou deux pour ne pas se mettre à table aux heures habituelles.

A propos de pilule, j'ai été très inquiet en lisant dans un journal suisse :

« Grand lancement aux États-Unis de pilules pour cancres. Des progrès réjouissants ont déjà été enregistrés par les instituteurs, après six semaines de traitement. »

Mais comme l'article date de 1961, je commence à me rassurer. La pilule a dû se révéler moins efficace que prévu et nous avons encore quelques belles années perlières devant nous.

* * *

Une institutrice demandait à une élève du cours élémentaire :

— Si tu me dis que la laine pousse sur le dos des moutons, où peut bien pousser le coton?

— *Sur le dos des brebis.*

Selon un petit cancre du Sud-Ouest, *les moutons sont maintenant plus civilisés. Leur laine peut atteindre quelquefois trois kilomètres de long.*

Mais les moutons ne sont pas les seuls animaux à avoir inspiré les cancres.

Pour faire du cuir, on tanne la crème de la vache débarrassée de ses poils.

Les vaches sont dans les tables. C'est là qu'elles ruminent, tout le monde est d'accord sur ce point. Mais une élève belge voit la chose de façon un peu particulière :

La vache arrache l'herbe, descend dans sa panse, passe dans son bonnet et se caille.

Parfois les professeurs demandent aux élèves de comparer des animaux. Dans une classe, la comparaison portait sur trois animaux et un élève demanda :

— *Madame, si une différence est commune aux trois, est-ce qu'il faut la mettre?*

Passons à des différences en forme de perles :

Le taureau est le père du toréador.

Le chien sert de plus en plus de demoiselle de compagnie.

Quand il entend du bruit, le chien se dresse sur ses oreilles.

Le lion possède des dents fortes, de longs cheveux sur son cou et des angles aigus.

Le kangourou est un animal qui possède une poche ventrale dans laquelle il vit quand il est petit.

Le ver à soie tisse un faucon.

Les escargots ont des antennes textiles.

Le serpent le plus dangereux est le serpent à sornettes.

J'ignore si ce genre de serpent existe à Madagascar. En revanche, une professeure d'anglais, qui opérait à Tananarive en 1967, m'a raconté qu'elle avait demandé à un élève de cinquième :

— Qu'est-ce qu'un serpent?

— C'est un animal.

— Quel genre d'animal? Comme un éléphant?

— *Oh! non, un serpent ça ne peut pas voler.*

Autres perles non malgaches :

Le coq ne dort jamais à poings fermés.

Le héron ayant deux mètres de taille a une envergure qui peut atteindre cent quatre-vingts mètres.

Le plat quotidien des Peaux-Rouges était le pélican.

Une petite Belge a affirmé que *les perles viennent des truites.* Je n'ai pas de perles sur les huîtres, mais en revanche j'ai appris que :

Le mariage entre la moule mâle et la moule femelle consiste en ce qu'en un endroit ils se rencontrent.

Pour voir les branchies d'un poisson, il faut soulever les tubercules.

Je terminerai ce collier zoologique en précisant ce qu'est un animal à sang froid.

Selon un cancre, *c'est un animal qui n'a peur de rien (ex. : le lion, le tigre).*

Selon un autre cancre, *c'est un animal qui sauve la vie à un animal.*

*
* *

L'idéal serait à coup sûr un enseignement sans classes. Il n'y aurait plus de sixième, de cinquième, de quatrième, etc. Il y aurait, pour chaque matière essentielle, des cours de force un, deux, trois, etc. Cela permettrait à tel élève faible en français de redoubler son cours force un et de passer quand même en force deux pour les maths et l'anglais.

Appliqué dans le secondaire, l'enseignement sans classe demanderait une organisation tout à fait différente. Une petite enquête m'a permis de constater que nombre de professeurs sont favorables. Mais ils ne croient pas que l'application de la formule soit pour demain, car elle troublerait les chères habitudes de ceux qu'un lecteur de Perpignan appelle « les vrais mandarins », c'est-à-dire les employés des inspections académiques et des rectorats.

Ces employés sont chargés de diviser le nombre d'élèves par le nombre de professeurs, opération qui ne va d'ailleurs pas sans quelques surprises pour certains professeurs. J'en connais un (et le cas est loin d'être unique) qui, nommé dans un C.E.S., en septembre 1969, fit huit cents kilomètres en auto pour se retrouver devant quelques ouvriers travaillant... à des fondations.

Certes, quand on brasse des millions d'élèves et de professeurs, il est inévitable qu'il y ait des imperfections. Et cela est bien plus pardonnable que de maintenir des programmes toujours aussi encyclopédiques et toujours aussi mal adaptés à ce que sera la vie des élèves, tant sur le plan professionnel que sur le plan culturel.

C'est ainsi que l'on enseigne toujours la botanique et c'est ainsi également que certaines perles peuvent paraître incroyables. Pourtant, j'affirme que je n'invente rien. Et un élève du cours moyen deux a bel et bien écrit :

— ***Quand le cotillon tombe, la tige se redresse*** (au lieu de : quand le cotylédon tombe, la tige se redresse).

Ne quittons pas la botanique sans apprendre que ***la chlorophylle des cellules végétales donne une curieuse coloration verdâtre aux végétariens.***

Sachez aussi que les meilleurs pruneaux sont ***les pruneaux de la jungle*** et qu'à Agen comme ailleurs :

La salade est un aliment saint.

Le chou est une plante solennelle.

Cependant qu'un élève, à qui l'on demandait de citer un fromage fait avec du lait de brebis, répondit :

— ***Le fromage de chèvre.***

*
* *

Roger, un petit Belge, annonça un jour triomphalement :

— ***Papa, on m'a dit que j'avais la bosse automatique.***

La bosse des mathématiques est bien utile pour une carrière scientifique, mais même avec la bosse il arrive que les élèves pondent des perles :

Par un point pris hors d'Euclide, on peut meuler une droite.

Un axe est une ligne orientale.

Un professeur demandait à un élève :

— Où est la bissectrice?

— ***Je ne l'ai pas touchée, m'sieur,*** répondit ce bel innocent.

Cependant que d'autres innocents affirment :

Un triangle équilatéral est un triangle qui a l'équateur pour base.

Un triangle rectangle est un angle qui est moitié triangle, moitié rectangle.

Un pentagone est un carré à cinq côtés.

Chacun sait que le cercle est coupé par le diamètre. Une institutrice belge demande à Lydia (sept ans) :

— Par quoi le cercle est-il coupé en deux?

— ***Par les ciseaux.***

Autres perles « circulaires » :

En multipliant le diamètre par π, on obtient la péripétie d'un cercle.

Le pourtour d'un cercle est plus petit que sa circonférence.

La sphère, c'est le globe terrestre d'une boule.

Enfin, sachez qu'***un nombre concret, c'est quelque chose qu'on ne peut pas toucher.***

Rentrant de classe, un élève de quatrième dit à ses parents :

— *Aujourd'hui, le prof nous a parlé de l'apostolat d'Euclide.*

Alors qu'un élève plus jeune annonçait triomphalement :

— *Je sais bien ma leçon : la table de Périgord.*

Table qui, n'en déplaise à Pythagore, était devenue, pour une Véronique de neuf ans, *la table de Picasso.*

Une institutrice du Pas-de-Calais m'a raconté qu'elle avait demandé à ses élèves ce qu'était un niveau à bulle d'air.

Un niveau adultère, écrivit le cancre de service, *c'est pour savoir si oui ou non on peut faire le mur.*

En Seine-et-Marne, un cancre a affirmé :

Un thermomètre sert à faire des bulles d'air.

Selon un petit Belge, *le baromètre sert à recueillir la température du jour suivant.*

Grâce aux candidats au certificat d'études de l'Essonne, j'ai d'autres précisions sur le matériel nécessaire pour une station météorologique :

Un baromètre à géométrie variable.

Un thermomètre enregistreur pour savoir l'heure.

Une alouette à quatre vents.

Un train pour s'arrêter à la station météorologique.

Cependant qu'une petite fille, sans doute distraite, à qui l'on demandait comment l'on transporte l'électricité, répondit :

— *On la transporte à dos d'homme.*

Enfin, je sais pourquoi on met de l'huile dans son moteur. *C'est pour pouvoir faire la vidange.*

*
* *

La France s'industrialise et elle doit avoir raison, puisque, selon un cancre, ***les industries sont des hommes très forts qui s'intéressent à tout.***

L'ennui, c'est que bâtir une usine et la remplir de machines ne suffit pas. Il faut aussi des hommes capables de faire marcher les machines. L'enseignement technique est là pour les former. Seulement, il est un peu le parent pauvre de l'enseignement général.

Certes, nos gouvernants font maintenant des efforts pour le doter de locaux nouveaux, de matériel plus moderne et l'on commence ici ou là à parler de places disponibles. Car il faut aussi convaincre les parents que la filière du technique est souvent préférable à un de ces bachots littéraires grâce auxquels on fabrique tant de chômeurs.

Et le pire, c'est qu'à côté des jeunes chômeurs, il y a des usines en mal de main-d'œuvre. Si bien que certains industriels avisés organisent leurs propres écoles, leurs propres stages de perfectionnement et se fabriquent ainsi un personnel sur mesure.

La formule a été critiquée mais, là au moins, élèves ou stagiaires sont assurés de ne pas apprendre des techniques pour lesquelles il y a déjà pléthore de spécialistes. Également, de ne pas subir les programmes trop lourdement chargés qui restent l'éternel défaut de l'enseignement officiel.

Quant aux industriels qui manquent de personnel qualifié, ils peuvent toujours se consoler en lisant ces perles venues d'un peu partout :

Dans les chaudières, on brûle du coq.

Avec du charbon, on fait de la vapeur et des locomotives.

Le mazout est un comestible dérivant du pétrole.

Le pétrole provient du Moyen Age et du Moyen-Orient.

Une centrale thermique sert à faire passer de l'eau dans les fils électriques.

Et j'espère que ces perles consoleront aussi une de mes lectrices, licenciée ès sciences physiques et titulaire d'un diplôme d'études approfondies de chimie physique (alias chimie nucléaire). Cette lectrice est adjointe d'enseignement dans un lycée du Var où, m'écrit-elle, « je passe mes journées à classer des dossiers, recopier des listes de noms, recenser les absents, écrire à leurs parents ».

Belle utilisation des compétences, mais ma correspondante se considère encore comme privilégiée vis-à-vis de sa meilleure amie, qui a fait les mêmes études et qui est en outre titulaire d'une thèse du troisième cycle. N'ayant pu, après trois ans d'efforts, trouver du travail dans l'industrie, elle fait des ménages.

A propos, quel est le ministère en France dont dépend le problème de l'utilisation de la matière grise?

Un français éborgné

En 1969, une amie de ma femme voulut faire lire à son fils la « lettre ouverte » et préréférendaire de Georges Bidault au général de Gaulle. Ledit fils la rendit dédaigneusement avec ce commentaire :

— *Je ne comprends pas, c'est trop français.*

Sans doute aurait-il mieux compris un autre garçon dont le frère disait :

— *Il parle un français éborgné.*

Mais ceux qui éborgnent le français ne s'en rendent pas toujours compte. Un petit Belge demandait :

— *Pourquoi s'qu'on apprend le français puisque s'qu'on le sait?*

Je cite dans ce recueil un bon nombre de perles made in Tunisie. Non parce qu'il s'en pond plus qu'ailleurs, mais parce que j'ai là-bas un aimable correspondant qui est un pêcheur particulièrement actif. C'est lui qui a relevé ces phrases dans des rédactions :

J'ai une longueur d'un mètre et demi et une taille de quarante centimètres.

Mes yeux font le tour de moi.

Dans l'armoire, les vêtements pondent.

Quand le repas est prêt, nous nous mangeons.

Après le repas, nous faisons l'assiette.

Le corps de mon ami ressemble à un mètre cube.

Cet ami possède une tête.

Je lui dis : « Le directeur appelle à moi », avec une respiration coupée en menus morceaux.

Il était muet comme une capre.

Le silence est une mauvaise habitude parce qu'il se trouve dans les symitières.

Une demi-heure s'écroule.

J'attends un cardeur et je m'en vais.

La course à pied est un sport qui permet de relier deux pays.

Pour monter à cheval, on met le sel sur l'animal.

J'aime mon chien au corps souple, allongé d'une petite queue aux oreilles dressées comme un soldat qui veut mourir debout.

La Tunisie n'a quand même pas l'exclusivité des perles. Un Périgourdin de douze ans devait décrire son animal préféré. Il remit ces quelques lignes :

Moi, j'habite dans une gendarmerie. Les animaux sont interdits sauf l'adjudant et son second.

Les élèves n'habitent pas tous dans les gendarmeries et ils peuvent décrire les animaux qui les entourent :

Mon chat agite la queue en cadence comme un chef d'orchestre.

Les oiseaux chantent des cantiques pour exciter les travailleurs qui sont en chemise.

Les vaches étaient très maigres. Elles n'avaient plus que les os sur la peau.

Il y a des animaux moins sympathiques :

Les requins s'enfuient à toutes jambes.

Le serpent prend la fuite et n'en revient pas.

*
* *

Après les animaux, on décrit les gens.

Mon petit frère ne sait pas encore marcher, mais il a déjà des jambes.

J'observe le menuisier qui radote dans son atelier.

J'avais enfin terminé l'étagère. Ainsi cloué au mur, ma sœur n'avait qu'à ranger ses livres.

Maman a un vase auquel elle tient beaucoup : il est en terre et a été fabriqué par les Gaulois. Alors, elle le garde en souvenir d'eux.

Le clochard avait le nez plein de petits trous comme celui d'une fraise.

Mes parents se chauffent les membres de leur famille près du feu en chantant des cantiques.

La grand-mère était dans le jardin assise sur la banquise.

L'homme avait une démarche bien propre. Il posait ses pieds les uns devant les autres.

Il avait une petite tête surmontée d'un long cou.

Tandis que j'ai pêché dans une rédaction de mon neveu Vincent où il se décrivait lui-même :

Mon visage joufflu est de teint rose et brillant. De chaque côté de mon nez rond, j'ai les oreilles en feuille de chou. Le tout forme un visage pensif.

Départ en vacances :

Le moteur de mon père traversa en trombe le village.

Après la sortie du virage, nous aperçûmes les premiers coffres-forts du Mont-Blanc.

Ce soir, on voit rien qu'un chausson de la Lune.

Rédaction sur l'utilité des journaux. Un élève écrit :

Si ma famille est à l'autre bout de la France, il faut que je lise les journaux pour voir si elle a eu un accident.

A la piscine, à Romsée, en Belgique :

Je regardais les autres enfants sur le tremplin qui plongeait.

Papa jette sa tête dans l'eau.

En France, il n'y a pas assez de piscines, mais il y en a tout de même suffisamment pour y pêcher cette perle :

Le bassin de natation était inondé de baigneurs.

Voici l'automne.

Je retourne en campagne en octobre et, en passant devant le champ de petits poids, je suis étonnée de retrouver un champ nu avec quelques petits poids éparpillés qui germaient. Ce sont des petits poids qui se sont échappés de leurs enveloppes jaunies par le soleil.

Ce que l'institutrice fit suivre de ce commentaire ironique :

Phrase très lourde.

*
* *

J'ai toujours pensé que les rédactions gagneraient à porter moins souvent sur des sujets abstraits et qu'il serait bon en particulier d'apprendre aux élèves comment écrire des lettres.

En Belgique, on demandait d'imaginer la « première lettre à une correspondante étrangère ». Une élève écrivit :

Comme tu peux le constater en lisant la date, je suis belge.

A Pithiviers, le sujet était : « Propriétaire d'une maison à louer pour les vacances, vous répondez à un futur locataire en décrivant la maison. » Une élève généreuse commença ainsi :

J'ai l'honneur de vous faire savoir que la maison que vous avez l'intention de louer est à vous.

Une autre élève écrivit : ***En réponse à votre lettre du seize en courant.***

Cependant qu'un élève expliquait : ***A gauche, se trouve la chambre des enfants avec deux lits dont le balcon donne sur la mer.***

On ne peut pas consacrer toutes les rédactions à des lettres. Un élève du cours moyen devait raconter l'achat d'une voiture.

— ***Je vais vous faire une petite remise, dit le vendeur.***

— ***Ça tombe bien, dit le client, je n'ai pás de garage.***

Voici maintenant un mariage tel qu'on le décrit en classe de 4e M, à Compiègne :

En arrivant devant l'hôtel, les mariés s'agenouillent sur le cousin.

A la sortie de la mairie, tout le monde s'accouple.

C'est seulement après la messe de mariage que le plaisir commence.

Autres classes, autres perles :

Les mères et les sœurs se trouvaient sur les murs, autour de la salle de danse.

Mon cavalier me faisait rire, il me chatouillait, il m'embêtait. Ma toilette était une robe de soie rouge avec des fleurs et des fruits verts et bleus, mes souliers à talons hauts rouges, des bas de soie rouge, un chapeau rouge avec des plumes de poule pour être plus jolie.

*
* *

Un professeur avait donné comme sujet à ses élèves de sixième : « Vous mangez du pain devant une glace. Décrivez et expliquez cette action. » Un élève écrivit :

Je mange d'abord le pain, puis la glace, parce que la glace est plus froide que le pain.

Une élève devait raconter ses débuts de cordon bleu.

Je prends la farine, j'appelle ma mère et je mélange le tout.

En Seine-et-Marne, on fait mieux : *On prend 8 kilos d'abricots, on les dénoyaute, on ajoute un poids de sucre équivalent. La cuisson fait perdre*

1/5e du poids et l'on obtient 1 000 kilos de confiture.

A la Réunion, un professeur avait demandé de raconter un accident. Cela donna :

Jeannette tomba et se cassa la jambe. Pendant que sa maman apportait la jambe chez le médecin, Jeannette rentra chez elle en sautillant à petits pas.

Revenons en France où certains accidents sont plus ou moins graves :

Je me suis fait mâle en jouant.

Comme j'avais dévissé son vélo, il tomba et revint plein de mercure aux chromes.

Un motard, des blessés, des lunettes se balancent sur un fil télégraphique.

Parfois, il se passe des choses encore plus dramatiques :

Un jour, c'était la nuit.

Il ferma les yeux et qu'est-ce qu'il aperçut?

Le cul-de-jatte prit ses jambes à son cou [1].

Ce gangster avait une mine antipathétique.

Explosant de rage comme l'aurait fait une bombe.

A toute vitesse, elle dévalisa les escaliers.

C'était un spectacle poignardant.

Trois arbres me regardaient avec étonnement. J'en restai bouche bée.

Chaque mort fait son testament.

Des voix s'en vont sans bruit.

Leur ambition les rendait sourds aux cris muets des victimes.

Ils brandissaient des piquets de grève.

1. Renseignements pris, l'auteur croyait qu'un cul-de-jatte était un brigand.

On obligea le prisonnier à parler en lui faisant avaler du pain complet.

L'agent sucré tue le traître.

Et l'on comprend cette conclusion due à un élève de première et de Normandie :

La vie est un long tissu de coups de couteau dont il faut boire une goutte chaque jour.

*
* *

« De bons esprits, m'écrit un professeur d'anglais, feignent de s'étonner ou de s'irriter que l'on apprenne si peu en sept ans d'anglais, alors qu'on peut le parler couramment au bout d'un an, grâce aux méthodes modernes. Ils oublient que sept cents heures étalées sur sept ans, ce n'est pas du tout la même chose que sept cents heures (ou même trois cent cinquante heures) concentrées sur un an... Le facteur temps est capital dans une matière où l'intelligence compte moins que l'acquisition des mécanismes. »

Cette lettre me semble pertinente et j'en arrive à me demander s'il ne faudrait pas remettre l'étude des langues étrangères (ou plutôt d'une langue étrangère) à la classe de seconde. On aurait alors assez de professeurs pour assurer deux heures de cours par jour.

Certains enfants commencent l'anglais à la maternelle. Mais je me demande s'il est tellement bon de faire avancer côte à côte la charrue anglaise et les bœufs français. Je pense à un Patrice de douze ans qui expliquait à sa sœur de six ans :

— En anglais, fer se dit *iron.*

— ***Mais alors, un sourire ironique c'est un sourire de fer.***

Une sympathique professeure d'anglais qui opère à Pau m'a raconté qu'elle avait donné à ses élèves de terminale ce sujet de rédaction (alias *essay*) : « Un jeune aristocrate de Virginie va passer quelques jours chez son oncle à Boston; au passage il s'est arrêté à New York et donne ses impressions. »

Le chef de classe écrivit (en anglais bien sûr) : ***A peine arrivé à New York, je tombe sur un gangster, il me cherche querelle et tandis que je sors mon revolver, il m'envoie une balle dans la tête. Conclusion : je n'ai RIEN vu et ne peux rien décrire, car je suis devenu aveugle, et je n'ai pas vu Boston non plus.***

Cela en confondant *shouting* (criant) avec *shooting* (tirant), preuve que les petits malins peuvent parfois faire de grosses perles.

Il paraît d'ailleurs que le même élève avait rendu un devoir de philo ainsi conçu :

Je suis sceptique, donc je n'ai pas d'opinion.

Un autre professeur d'anglais venait d'expliquer le sens de l'article « the » qui se prononce « ze ». Il demanda à chaque élève de lui citer un exemple. Après *the book, the pencil*, etc., ce fut au tour d'André qui répondit :

— ***The alacok.***

Mais il faut croire que le professeur n'aimait

pas les œufs à la coque, car au lieu de rire, il consigna André.

Un petit Anglais faisait des études dans un lycée français et il avait des opinions bien précises :

Avant Guillaume le Conquérant, l'Angleterre était un pays étranger.

Tandis qu'un élève français affirma :

L'adjectif possessif en anglais s'accorde avec le professeur.

Deux perles de version :

Le cheval est la conquête du plus bel homme.

Il avait les yeux d'un homme habitué à mourir.

Je terminerai par une classe d'anglais où le professeur annonça au cours du dernier trimestre :

— Vous n'aurez pas grand-chose : simplement une petite version, une petite question de grammaire et un petit thème.

— *Et*, ajouta une voix au fond de la classe, *une petite note.*

* * *

Montrant un groupe de cancres à l'inspecteur, un proviseur a dit :

— *Ce sont des élèves en voie de développement sans issue.*

Cette formule s'applique, hélas! à toute une partie de l'enseignement français et trop de jeunes s'engagent dans les études dites littéraires qui, pour beaucoup, aboutiront dans une impasse. C'est à se demander à quoi sert l'orientation, instituée paraît-il ces dernières années!

Pourquoi laisse-t-on le secondaire fabriquer tellement de littéraires, alors que la France manque de plus en plus de scientifiques? Pourquoi admet-on que tant d'étudiants s'engouffrent dans des facultés des Lettres où l'on forme pêle-mêle futurs professeurs et futurs chômeurs intellectuels? S'il y a pléthore de littéraires, c'est en partie parce que les bachots qui leur sont réservés restent plus faciles que les bachots scientifiques ou techniques.

« En français au moins je peux l'aider », disent aussi trop de parents qui ne se rendent pas compte qu'ils font jouer une mauvaise carte à leur enfant.

Certes, quand on sèche sur un devoir, il est agréable de pouvoir appeler à l'aide. Dieu sait si je l'ai fait souvent et si je dois de la reconnaissance à ma chère mère!

Cathie (onze ans) avait un devoir sur Saint-Exupéry. Elle en parla à sa mère à qui le sujet inspira immédiatement quelques réflexions.

— *Vite un crayon*, s'écrie Cathie, *maman est en pleine conspiration.*

Ce n'est pas Cathie en revanche qui a affirmé que *Saint-Exupéry fut canonisé pendant la dernière guerre.*

Tandis qu'une élève de seconde écrivait :

Racine, dans son théâtre, dépeint l'adultère et l'inceste qui se pratiquent journellement dans nos familles.

Autres perles littéraires moins inquiétantes :

Dans l'Illiade, *Iphigénie fut immolée à Jupiter pour que le départ d'une course de voiliers prenne fin.*

Quand Descartes écrivit « Je pense donc je suis », il voulait dire qu'il suivait son idée.

La Bruyère fut un grand peintre de portraits qu'il peignait d'après nature ou d'après photos.

Victor Hugo écrivait tous ses vers en prose.

Il habitait rue Blas.

Quasimodo avait beaucoup de cœur dans sa bosse.

Et je n'aurai garde d'oublier cette jeune Catherine à qui son père parlait de La Rochefoucauld.

— Tu connais des maximes? demanda-t-il.

— *Non, je ne connais ni maximes ni minimes.*

A l'occasion d'une enquête organisée par une bibliothèque de la banlieue bordelaise, une élève de sixième écrivit :

Il est utile de lire pour bien parler en français et pour notre situation de plus tard. Jean-Charles est devenu écrivain; c'est sans doute parce qu'il a beaucoup lu.

J'ai beaucoup lu en effet et j'espère que mes biographes ne l'oublieront pas. En attendant que l'on se penche sur ma vie et mes œuvres, je voudrais citer un petit poème de Blandine Callerot (treize ans), fille d'une de mes cousines. Il est en effet la première pierre du monument que les générations futures ne manqueront pas d'édifier à ma gloire.

Jean-Charles n'est pas truand.
C'est, je le sais, un marrant.
Dans sa belle Cancrerie,
Il mange des sucreries.
A longueur de journées,
Il reçoit des reporters,
Et ne cesse de crier :
« Attention à mes parterres. »
Quelquefois,
Quand ils le voient à la télévision,
Ses amis pensent avoir des visions.
Il est peut-être « tête en l'air »,
Mais il est très populaire.

* * *

— Les maths nouvelles, m'a dit un ingénieur, devraient aider à former un homme nouveau qui ne serait ni un scientifique ni un littéraire.

Il faudrait que ces hommes nouveaux gardent le goût de la lecture. Or, parents et professeurs sont d'accord pour se plaindre que les jeunes lisent de moins en moins. Et d'accuser tantôt la télé, tantôt les bandes dessinées.

C'est oublier que les premiers responsables sont les programmes scolaires et les trop nombreux professeurs qui leur sont inféodés. Ce n'est pas en effet avec *le Cid* et *Athalie* que l'on donnera aux élèves d'aujourd'hui le goût de la lecture.

Il faut choisir des auteurs modernes, ceux dont tout le monde parle, dont les livres s'accrochent à l'actualité. Quant aux écrivains du passé, la télé est là pour retrouver leur « bonne adresse » et donner envie de lire ou relire leurs œuvres.

Rien de mieux aussi que la télé pour présenter les chefs-d'œuvre du théâtre classique. Cela n'empêche d'ailleurs pas les perles et une Sonia de onze ans disait :

— ***J'ai vu*** le Cid ***de Proust. Rodrigue et Archimède ne jouent pas mal.***

Revenons à la lecture, ne serait-ce que pour citer quelques titres d'ouvrages plus ou moins écorchés :

« Le fils d'Anthrope », de Molaire.

« La Belle au bois normand », de Perrault.

« Les Mémoires d'Outre-Tombe », de Château-Brillant.

« La guerre de Troyes n'aura pas lieu », de Giraudoux.

« Vingt mille lieues sous les mères », de Jules Verne.

La tirade d'Enée, dans Cyrano de Bergerac.

Tandis que, récitant *la Grenouille qui veut se faire aussi grosse que le bœuf*, un petit Jean-Yves disait :

— ***La grenouille enfla si fort qu'elle creva la fontaine.***

Et la musique aussi a ses perles dont je ne possède cependant qu'un spécimen :

Jean-Sébastien Bach, même aveugle, a composé de grandes œuvres sans pouvoir les entendre.

*
* *

Au temps où le journal *Pilote* me faisait l'honneur d'une page hebdomadaire, je publiai cette perle : ***César traversait le fleuve à la nage ou appuyé sur des hommes gonflés d'orgueil.***

Je précisai qu'il s'agissait en réalité d'outres remplies d'air. Précision qui incita un jeune lecteur à demander à son cousin :

— ***Avec quoi il les gonflait les loutres?***

Cela prouve bien que la première chose à faire est d'apprendre aux enfants à lire. Or combien, à dix ans, douze ans ou plus tard, lisent encore fort mal!

Ils n'écrivent d'ailleurs guère mieux. Même quand ils affirment comme cette petite fille de dix ans :

— ***Je suis la première en hortographe.***

Mais comme disait une de mes correspondantes :

— Pourquoi ne pas l'écrire ainsi, puisqu'il s'agit de la culture de la graphie?

Une autre correspondante, celle-ci de la Réunion, m'écrit :

« Quand j'étais en neuvième ou en huitième, on nous dictait : Jacques a mis des bas bleus. Phrase qui devint sur mon cahier : ***Jacques, ami des bas bleus.*** »

Du même acabit, on peut citer :

Le bouc émissaire devenu ***le bouc, qué misère!***

L'élève persévère dans l'effort changé en ***l'élève perd ses vers dans l'effort.***

Les arbres dont l'écorce est rouge remplacés par ***les arbres dont les corsets rouges.***

L'écorce terrestre transformée en ***les Corses terrestres*** [1].

Tandis qu'une petite Belge écrit qu'***Eddy Merckx court sur le vélo de Rome*** (au lieu du vélodrome, bien sûr).

Dans la Loire, un élève affirme que ***l'on fait le fromage avec le cahier*** (alors que le caillé eût été préférable).

On pourrait en citer bien d'autres :

Le mètre est à Laon (au lieu du mètre étalon).

Pour hanter ses dents (au lieu de pour antécédent).

Le disque au bol (au lieu du discobole).

Et dans une rédaction sur la mode :

— ***Maintenant, les parents ne sont plus dans le thon.***

Les professeurs sont parfois stupéfaits des précisions demandées. L'un d'eux, quelque part en Belgique, dictait les paroles d'***Au clair de la Lune :*** « Ma chandelle est morte... »

Une élève (quatorze ans) lève le doigt :

— Monsieur, comment écrit-on « élénote »?

— Pourquoi demandes-tu cela? Relis ta phrase.

— ***Marchand d'élénote.***

D'autres élèves se piquent de corriger leur maître. Un instituteur avait écrit la date au tableau : 21 septembre.

1. L'auteur de cette perle est un élève de quatrième et d'Anthony. Il a tenu à m'envoyer sa rédaction, par ailleurs assez bonne, et où l'on trouve aussi cette jolie formule : *Mes voyages s'étendent entre cinq mètres et quinze mille kilomètres entre le boulanger et l'Amérique.*

— Monsieur, dit un élève, il manque un *s*.
— A quel endroit?
— A septembre, m'sieur.
— Pourquoi?
— ***Parce qu'il y en a vingt et un.***

Les copies de sténo [1] ont aussi leurs perles :

Les rossignols chantaient devant les portes ouvertes deviennent ***les rossignols chantaient devant les porcs ouverts.***

Tandis que les actes sous seing privé se transforment en ***actes sous singes privés?***

En recopiant les fameuses questions qui suivent les non moins fameuses dictées, Hélène avait froidement écrit : ***Relevez les morts exprimant la joie*** (au lieu des mots, bien sûr).

Au lycée français de New York, on fait aussi des fautes :

Les fleurs en pots deviennent ***des fleurs en peau.***

Sa vie monotone d'écolier se transforme en ***sa vie monotone des colliers.***

Mais la palme revient à cette jeune Américaine qui croyait qu'onomatopée s'écrivait : ***Oh, no! Il m'a tapée!***

Autres fautes made in France et qui se passent de traduction :

Les fenêtres étaient mâles fermées.

Une ligne passant diamètre allemand par le cercle.

L' : article défini et l'idée.

1. Et peut-être la mère d'une de ces élèves dira-t-elle un jour comme cette brave femme :
— *Ma fille est stylo dans un bureau à Paris.*

Il va foncer tête baissée dans le guet tapant.

Heureusement, on apprend tous les jours. C'est à seize ans qu'en regardant un titre à la télé, une jeune Catherine découvrit que la coupe Davis ne s'écrivait pas *Coupe des Vis.*

Et Jérôme avait quatorze ans quand, participant aux championnats de l'Ile-de-France de judo, il réalisa qu'il ne s'agissait pas *des championnats de Lille de France.*

*
* *

Il est parfois intéressant de comprendre l'origine des perles. On avait demandé à un candidat au certificat d'études :

— Peut-on être alcoolique en n'étant jamais ivre?

— *Oui,* répondit-il, *en travaillant beaucoup.*

Réponse qui s'expliquait par le fait qu'il entendait sa mère dire : « Je suis saoule de fatigue. »

Au B.E.P.C., question sur une dictée de Proust : « Que pensez-vous de la grand-mère de Marcel Proust? » On ne sait pourquoi, les candidats lui prêtèrent de gros défauts. L'un d'eux écrivit :

— *La grand-mère de Marcel Proust était sournoise et méchante. C'était sûrement une vieille fille.*

Dans une autre dictée, il fallait expliquer « une eau nonchalante ». Un élève écrivit :

Une eau non chalante est une eau ne supportant pas les chalands.

Il y a pire (ou mieux, selon le point de vue auquel on se place). Un élève, devant expliquer « rire sous cape », écrivit :

Un rire soukap est une sorte de rire arabe.

La professeure à qui je dois cette perle m'a aussi cité deux explications, assorties d'exemples et dues à des élèves de sixième :

Porter quelqu'un aux nues, c'est lui enlever ses habits pour le mettre tout nu. Exemple : la maman porte son bébé aux nues avant de le laver.

Un lit de fortune est un lit dans lequel on a entassé des billets de banque. Exemple : les gros richards dorment dans des lits de fortune.

Passons en cinquième où (c'était avant mai 1968) un professeur demanda à une élève :

— Qu'est-ce que la Sorbonne?

— ***C'est une sœur qui a bon cœur.***

Tandis qu'un élève de troisième a répondu le plus sérieusement du monde :

— ***Un vers de douze pieds, c'est un mille-pattes.***

*
* *

Pascal (six ans) récite sa leçon :

— ***Tous les jours, c'est quotidien; toutes les semaines, c'est hebdomadaire; tous les mois, c'est sensuel.***

Ceux qui ne savent pas leur leçon sont parfois aidés par un souffleur, mais il peut arriver que le remède soit pire que le mal :

Le professeur : Qu'est-ce qu'une olympiade?
Le souffleur : Un espace de quatre ans.
Le cancre : *Une espèce de cadran.*

En revanche, c'est sans l'aide d'aucun souffleur que des élèves ont répondu :

Une bataille est le singulier de bateaux.

Le féminin de truand est truelle.

Le féminin de chômeur est chaumière.

Un homme qui a des dettes est un homme édenté.

Quand un roi tient le pouvoir de son fils, c'est le pouvoir d'hérédition.

La religion des gens pieux est le pudisme.

Sans oublier une perle, due à une petite fille de neuf ans et qui a particulièrement réjoui le pongiste que je suis :

Ceux qui jouent au ping-pong sont les spongieux.

Parfois le dialogue s'engage, mais sans que professeur et élève se comprennent :

— Donnez un nom et un verbe de la même racine.

— *Le nom qui vient de la racine, c'est la tige et le verbe c'est enterrer.*

— Combien de genres y a-t-il en français?

— *Il y en a trois : le genre masculin, le genre féminin et le genre humain.*

— Citez un mot formé avec le préfixe bi.

— *Bifteck.*

Cette dernière perle me vient de Berlin-Ouest, alors que c'est à Chalon-sur-Saône que l'on a affirmé :

— *Les lettres sont formées des pleins et des béliers.*

Un professeur de latin et de Colombes demandait à un élève :

— Comment se fait-il que tu ne saches rien?

— ***Parce que j'ai oublié ce que je n'ai pas appris.***

Quatre-vingt-dix-neuf pour cent des élèves oublient le peu de latin qu'ils ont appris. Mieux vaut donc ne pas perdre de temps avec une matière qui reste, hélas! le boulet de l'enseignement français.

On me dira que, comme les autres matières, le latin est source de perles. Ces perles ont deux défauts, d'abord elles ne sont drôles que pour les initiés. Ensuite, beaucoup sont d'une authenticité douteuse.

On peut en effet se demander si ce n'est pas pour faire rire les copains qu'un élève traduisit *et Caesar tandem in Romam venit* par ***César vint à Rome en tandem*** (au lieu de César vint enfin à Rome).

Autre perle très probablement volontaire. La traduction de la devise de Genève *post tenebras lux* (après les ténèbres, la lumière) par ***la poste dans les ténèbres, c'est du luxe.***

Et je crois encore moins à l'innocence de l'élève qui, devant expliquer *ora pro nobis* (priez pour nous), en fit :

— ***Ora : tu auras... Prono : des pruneaux... Bis : deux fois.***

Un professeur luxembourgeois disait à ses élèves :

— ***Le latin est bon pour votre culture de général.***

D'autres partisans du latin m'écrivent pour

prendre sa défense. Tel cet élève m'expliquant qu'il apporte *un certain sens de la réflection.*

Il y a aussi le vieux slogan du latin formant l'esprit logique de ceux qui l'étudient. Mais, comme me l'écrit un professeur d'anglais, « sans se lancer dans l'analyse lente et fastidieuse de textes latins dont la logique n'est pas toujours aussi solide que certains le prétendent, l'étude du français pourrait comporter celle des familles de mots rattachés à leur racine latine ».

En tout cas, on apprend plus dans un dictionnaire étymologique que dans un dictionnaire latin. Quant à ce mini-dictionnaire franco-cancre, puisse-t-il apprendre au moins ce que ne veulent pas dire les mots qui le composent.

Année lumière : *Année ensoleillée.*

Automation : *Nation qui produit beaucoup d'automobiles.*

Compte-gouttes : *Instrument destiné à compter les gouttes d'eau mouillée qu'il y a dans un litre de vin.*

Coureur de grèves : *C'est un homme qui prend son vélo le matin qui va d'usine en usine pour voir les gens qui sont en grève.*

Descente de lit : *Espèce de toboggan placé sur le côté du lit pour en faciliter la descente aux personnes âgées.*

Esprit mordant : *Homme qui a toujours faim.*

Fête votive : *Fête offerte par le maire pour remercier les gens d'avoir bien voté.*

Grillage : *Des trous attachés avec du fil de fer.*

JOURNÉE DOMINICALE : *Journée qui se passe à domicile.*

LANGOUSTINE : *Petite langue.*

MÉTROPOLE : *Pays situé entre les deux pôles.*

MINOTERIE : *Usine où l'on fabrique des petites lampes qui s'éteignent au bout de trois minutes.*

MONOPOLE : *Grande maison où des moines et des religieuses vivent et ne doivent pas se marier.*

NŒUD COULANT : *Nœud que l'on faisait aux ancres des bateaux pour qu'elles aillent jusqu'au fond.*

PALÉOLOGUES : *Habitants des cavernes.*

PAUPÉRISME : *Culte de la musique pop.*

PÉTROGRAPHIE : *Étude des pétrolettes.*

PHARAON : *Fabricant de phares.*

PULLULER : *Être très nombreux et remuants comme des pilules dans une boîte.*

SEPTICÉMIE : *Maladie qui se déroule en sept périodes.*

TERRE AMENDÉE : *Terre semée d'amandes.*

*
* *

Une dernière histoire avant de clore ce chapitre. Celle d'une dame à qui sa nièce Anne (six ans) demande :

— Tu as manifesté?

— Mais oui! Et tu sais ce que cela veut dire manifester.

— Oui, cela veut dire protester.

— Oh! tu en sais des choses, ma chérie.

Alors Anne très humble :

— *Seulement je ne sais pas ce que cela veut dire « protester ».*

La valse des perles

Un instituteur belge demandait à un élève :

— Comment a-t-on pu savoir le genre de vie et les habitudes des hommes préhistoriques?

— *Cela s'est transmis de père en fils.*

La tradition orale qui, selon un élève canadien, est *une tradition qui se transmet de bouche à bouche* ne suffit pas pour la découverte du passé. Il faut faire appel à ce qu'un élève français nomme *la passionnante histoire des fouilles archies-logiques.*

Racontons donc cette passionnante histoire, vue à travers le périscope des cancres :

Aux temps préhistoriques, les historiens vivaient dans des cavernes.

Les hommes préhistoriques inventèrent le feu, les armes et les arbres.

Les hommes dessinaient des animaux tellement réalistes que parfois ceux-ci leur sautaient dessus et les dévoraient (comme en témoignent divers ossements retrouvés dans les cavernes).

Une précision à propos de l'ancien Belge : *Il buvait du café froid, il mangeait les civilisés, la peau des animaux et le fruit défendu.*

Peu à peu les hommes se civilisèrent :

Les Romains ont construit des ruines.

Ils célébraient leur culte dans des hôtels.

Les basiliques sont des achélèmes où vivait la plèbe.

Hélas! qui dit civilisation dit quand même guerres et les Romains en ont une belle collection à leur actif. Quelques mots donc de leur organisation militaire :

Chaque légion est divisée en deux consuls.

L'infanterie légère est composée de Vestales.

Pour assiéger une ville, les Romains utilisaient la brebis.

Et sans doute en fallut-il tout un troupeau, durant ce qu'un Thierry de six ans appelait ***le fauteuil d'Alésia.***

* * *

On peut avoir participé à une célèbre émission de radio et aimer la pêche aux perles. C'est le cas de M. Champagne *(Bravo! bravo! monsieur Champagne)* qui, toujours incollable, m'a affirmé que Vercingétorix n'est pas un nom propre. Composé de mots celtiques, il signifie « le plus grand chef des guerriers », et on peut le traduire par « généralissime ».

Jules César, dans ses *Commentaires*, semble avoir ignoré le nom de notre premier héros national. Il l'appelle simplement « le fils de Keltill ».

Ce qui explique qu'un élève de M. Champagne (et de cinquième) ait pu écrire :

Vercingétorix était le fils d'Anquetil.

Un autre élève de M. Champagne a affirmé :

Le premier de nos rois s'est appelé Pharamond. On ne sait pas s'il a existé. Mais, ce qui est certain, c'est que son fils s'est appelé Chlodion le Chevelu.

Une institutrice interrogeait Marc (six ans) :

— Dis-moi ce que tu sais des Gaulois. Qu'ont-ils fait?

Alors Marc serrant les lèvres :

— *Ça m'regarde pas c'qu'ils ont fait ces gens-là.*

Moins discret que Marc, un autre cancre a donné ce détail :

Les Gaulois employaient leurs habits comme serviette.

Un professeur demandait par qui avait été envahie la Gaule. « Les Ostrogoths et les Wisigoths », répond un élève. Cependant qu'une voix, au fond de la classe, ajoute :

— *Les Berlingoths.*

Cette perle était bien entendu volontaire, alors que c'est en toute naïveté qu'un cancre a affirmé :

Charlemagne détestant tellement l'obscurité se fit appeler le roi Soleil.

Interrogé sur *la Chanson de Roland*, un élève de Montpellier écrivit :

J'aurais aimé être à cette époque pour voir Roland tuer les Sarrazins et voir le sang couler à flot.

Moins sanguinaire, un petit Bordelais déclara à ma mère :

— *Les Croisades étaient inutiles. Pourquoi aller*

délivrer le tombeau de Jésus-Christ puisqu'il n'y avait plus rien dedans?

Quel fut le chef de la première croisade?

Goûte le froid bouillon, d'après un cancre français *Côte forte de Bouillon*, d'après un cancre belge.

Et, dans la même tradition culinaire, *Richard cœur de Lion combattit le grand Saladier.*

Résultat : *les Croisades nous rapportèrent des épinards.*

*
* *

La guerre de Cent Ans fut plus longue encore que cent ans. En réalité, elle dura un siècle.

Jeanne d'Arc était une mégère. Un jour qu'elle faisait des galettes, elle a entendu des voix.

Jeanne d'Arc fit châtrer Charles VII à Reims.

Elle se rendit à l'O.N.U.

Apercevant Jeanne d'Arc, le capitaine voulut imiter Henri IV et cria : « Ralliez-vous à mon panache blanc. »

En 1431, eut lieu la cuisson de Jeanne d'Arc.

Elle fut brûlée comme hérotique.

Ce qui attrista beaucoup une petite Thérèse :

— *Dis, maman*, demanda-t-elle, *ils ne pouvaient vraiment pas brûler autre chose?*

Parmi les personnages célèbres de la guerre de Cent Ans, il y avait aussi le fils d'Édouard III qui fut gouverneur de Guyenne :

On l'appelait le Prince Noir parce qu'il aimait beaucoup les vins de Bordeaux.

La guerre de Cent Ans est finie. Voici Louis XI dont les méthodes sont plus subtiles. *Il venait à bout de ses ennemis en leur mettant une araignée dans leur lit, la nuit. L'araignée tissait sa toile et ils étaient pris.*

*
* *

Un ami instituteur (et pongiste) demandait à un de ses élèves :

— Pourquoi les moines s'isolaient-ils en des lieux souvent très difficiles?

— *Parce qu'ils avaient peur des curés,* répondit un jeune garçon.

Autres détails sur la vie au Moyen Age :

Pendant le carême, les jongleurs n'avaient pas le droit de se reproduire en public.

Il ne faisait pas chaud dans les châteaux forts, on avait des bras à zéros.

Pour mieux se défendre, les seigneurs du Moyen Age inventèrent l'eau bouillante.

Dans la cérémonie de l'hommage, le vassal est sans armes, car s'il avait une crise de nerfs, il tuerait peut-être le suzerain.

Les chevaliers avaient bien sûr des obligations. Selon un élève, *un chevalier ne doit pas lire devant sa dame.*

Et dernier détail que je dois à un élève de Valenciennes (via le journal local) :

Quand on était chevalier, on allait partout libérer les belles dames prisonnières dans les châteaux des autres et on les enfermait dans son château.

*
* *

Racontant l'histoire de la découverte de l'Amérique, un candidat au certificat d'études écrivit :

Quand les marins de Christophe Colomb virent qu'ils ne pouvaient découvrir l'Amérique, ils le pendirent au bout d'un mât. Au bout de trois semaines, ils le dépendirent. Alors, il tomba à genoux en criant : « Terre, terre. »

Cette perle est relativement ancienne, alors que c'est beaucoup plus récemment qu'un cancre affirma :

Bayard était surnommé le chevalier sans peur et sans brioche.

Et une élève de huit ans précise :

C'était un chevalier sans peur et sans retraite.

J'ignore si Nostradamus était sans reproche. En tout cas, on en doute quand on apprend qu'il fut *l'auteur de cent tueries.*

Selon un cancre parisien, *Luther inventa le luth* et, selon une cancresse des Vosges, *il fit éclater la Bulle devant le parvis de l'église.*

Pendant ce temps, *les artistes de la Renaissance fécondaient les statues grecques.*

Parmi ces artistes, *Léonie de Vincennes.*

Et la valse des perles continue :

Henri IV ne se lavait jamais pour garder son fumet.

Il commanda qu'on le mit au pot tous les dimanches.

Sully a créé la Sécurité sociale.

Il a dit : « Labourages et pâturages sont les deux aisselles de la France. »

Henri IV est mort à Sassinay.

*
* *

André (douze ans) et Antoine (six ans) parlent de Louis XIV.

— Je me demande s'il était grand ou petit.

— ***Tu pourras le voir quand tu iras au musée Grévin. Il est empaillé.***

Le Rat-Soleil, comme l'appelait un cancre de la Martinique eut un long règne sur lequel voici quelques précisions :

Colbert et Richelieu étaient les deux mains d'un même bras.

Dans le jardin de Versailles, il y avait des fontaines, ce qui était bien commode pour les courtisans qui avaient du linge à laver.

Arrivé à l'âge mûr, Louis XIV devint sérieux parce qu'il n'en pouvait plus.

Mme de Maintenant épousa Louis XIV.

Cette perle me vient de la Martinique et je peux en garantir l'authenticité. Elle recoupe une astuce chère à André Ribaud qui, dans *le Canard enchaîné*, avait surnommé Mme de Gaulle « madame de Maintenant ». C'est une fois de plus la preuve que le comique volontaire et le comique involontaire peuvent coïncider.

*
* *

Un professeur belge avait parlé de Joseph II, administrateur éclairé de la Belgique.

La semaine suivante, dans la copie d'un cancre, cela devint :

Joseph II fut un grand homme. Il a mis l'éclairage dans les administrations.

Toujours en Belgique, j'ai appris que ***Marie-Antoinette est une femme sans tête. C'est ce qui l'a rendue célèbre.***

Voyons plus en détails ce que fut la Révolution de 1789 :

Le 14 juillet, le peuple a pris le pastis [1].

Le 4 août 1789, les droits faits au dos sont abolis.

Louis XVI avait le droit de vélo.

Quand Louis XVI fut ramené à Paris avec sa femme et son fils, on les nomma le boulanger, la boulangère et le petit litron.

Louis XVI dut accepter la tocarde tricolore.

Grâce à un élève qui avait fait un exposé sur

1. Cette perle est l'œuvre d'un élève du CM 2. Dans la même classe, d'autres élèves parlèrent de *la prise de la pastille*, ce qui est peut-être la perle la plus courante de l'enseignement français.

Marie-Antoinette, j'ai quelques précisions sur la fin de la malheureuse reine :

— ***Le soir, on lui coupait l'électricité.***

— ***Louis XVI fit des fouilles pour retrouver les restes de Marie-Antoinette.***

Cette affirmation va à l'encontre des théories classiques, selon lesquelles Louis XVI mourut avant Marie-Antoinette. ***Sur les châteaux,*** précise un cancre et un autre ajoute :

Quand Louis XVI se fit couper la tête, il dut se sentir tout petit.

Il est vrai qu'***à l'époque de Robespierre, chacun sentait sa tête se décoller subitement.***

Dernier détail sur la Révolution :

Les chouans étaient ainsi nommés parce qu'ils aimaient les choux.

*
* *

Selon un élève de la Martinique, ***Napoléon a créé l'univers.*** Et, en 1969, un autre élève de la Martinique écrivit :

On fête cette année la naissance du mi-centaure Napoléon.

En France, on a fêté abondamment ce bicentenaire, y compris avec des perles :

Napoléon répudia sa femme pour épouser l'empereur d'Autriche.

Nixon vainquit les Anglais et les Français à Trafalgar.

Les Cent Jours sont le congé payé de Napoléon.

Quant à savoir pourquoi l'Empire n'était pas solide, la réponse me vient de Pau :

C'est parce que le roi ne voulait jamais obéir aux ordres qu'on lui demandait, alors c'était la bataille et c'est pour ça qu'il s'entendait pas du tout. Le roi quand il était libre, il mettait tout le monde en prison.

Un élève d'Arpajon à qui l'on demandait ce qu'il savait d'une certaine date de l'histoire de France écrivit :

Je sais que je ne sais pas.

Il y a pourtant des choses que les cancres savent, tant sur l'histoire de France que sur celle des autres pays.

Abraham-la-colle fut président des États-Unis.

En 1869, Ferdinand de Lesseps réalisa, au bout d'efforts gigantesques, le percement de Napoléon.

Le comte de Chambord avait refusé que le drapeau blanc monte sur le trône. Le candidat au trône dissimulait son impuissance sous les plis du drapeau blanc.

Jules Ferry a rendu les maîtresses gratuites et obligatoires.

Au Gabon, les indigènes tuaient les blancs pour les manger vivants.

C'est Congo qui a pacifié Madagascar.

Léopold II était aussi le maître du gogo belge.

Joffre a remporté la victoire de Valmy en 1914.

En 1941, de Gaulle a paru à la radio.

Il a combattu Abd el-Kader.

Depuis 1960, le Congo n'est plus en Belgique.

***

Certains cancres sont des élèves sans histoires... ni géographie. Et cela vaut aussi bien en France qu'à la Martinique où un élève affirma :

Dans l'univers, la Terre est située sous la Lune.

En revanche, c'est en France que j'ai obtenu ces précisions :

Le Soleil est une boule indécente.

Un parallèle est une ligne qui part du Soleil pour aller sur un mois.

A quelques millions de kilomètres sous terre, il existe un noyau en fusion que l'on appelle la Terre de Feu.

Les trous des volcans peuvent être rebouchés par des larves.

En Belgique, on voit les choses différemment :

La terre tourne autour du Soleil, alors elle se brûle et ça produit une boule de feu. C'est la foudre qui sort par les volcans.

Et selon des cancres français :

Un volcan est un mur rond avec un trou en dessus.

Les hautes montagnes ont des neiges maternelles.

Les rivières sont encaissées dans des camions.

Le plissement alpin est le résultat d'un fort coup de vent.

***

Le gouvernement français a la forme d'un hexagone à peu près régulier.

La France est divisée en 90 appartements.

Ces informations me viennent de Belgique. Alors qu'au Canada j'ai appris que *les principales villes de France sont Paris, Lyon, Marseille et Bardot.*

En Seine-et-Marne, j'ai découvert que *la capitale de la France c'est l'Europe.* Tandis qu'un petit Parisien de quinze ans a dit :

— *L'air comprimé du réseau parisien sert, entre autres choses, à fermer les portes de Paris.*

Autres détails sur Paris :

De nombreux cabarets s'ouvrent et des homnibus les sillonnent.

La densité de la population est de 200 au mètre carré; c'est ce qui explique pourquoi on construit en hauteur.

Les balayeurs et les caniveaux vont quelquefois se jeter dans les égouts, c'est pourquoi quand ils se jettent dans la Seine cela sent mauvais.

Après cela, on a envie de partir à la campagne, d'autant que, *grâce au procédé de Karl Marx, les communications routières s'améliorent.*

Utilité du reboisement : *Il sert à faire de l'ombre. C'est les arbres.*

L'ennemi des forêts, c'est le bûcheron, le forestier, les Marseillais et les touristes.

Un dernier coup d'œil sur la carte de France. Le professeur demande à un élève :

— Montrez-moi une côte sablonneuse.

— Ici, m'sieur, sur la Manche.

— Vous êtes sûr?

— *Oui, m'sieur, il y a écrit : « Pas de galais. »*

*
* *

Selon un écolier de la Martinique, ***la France a 550 milliards de kilomètres carrés.*** Nous n'aurons donc pas le temps de tout visiter en détail. Sachez seulement que :

Les chants de blé de la Beauce et de l'abri sont très fertiles.

En Bretagne, il y a des mines d'un fer spécial. Il s'appelle fer-blanc et sert à faire des boîtes de conserve.

La Loire mesure 975 kilomètres de large.

Parmi les châteaux de la Loire, il y a Clemenceau.

Le Rhône est plus ou moins profond, c'est pourquoi les bateaux ne naviguent pas en surface, car ils toucheraient le fond.

La capitale de l'Auvergne est Clermont-Fernand. On y trouve le fromage de Tantale.

Dans le Jura, il y a les anticlinaux et les syndicaux.

La ville de Verdun est très militaire surtout en temps de paix.

*
* *

Les cours de géographie sont souvent fort ennuyeux et on ne peut guère en vouloir aux élèves de penser à autre chose.

Un professeur venait d'expliquer qu'une falaise reculait sous l'action de la mer.

— Qu'est-ce que je viens de dire? demande-t-il à un rêveur.

— ***Euh... qu'une falaise roucoule sous l'action de la mer.***

Dans une autre classe, le professeur dit :

— Jacques, répétez ce que je viens de dire.

Et Jacques docilement répéta :

— ***Jacques, répétez ce que je viens de dire.***

Au siècle dernier, un professeur de philosophie faisait un cours sur Descartes.

— Vous ne suivez pas, monsieur, dit-il soudain à un élève. A quoi pensez-vous?

— ***Pardon, monsieur, vous dites que je pense... donc je suis.***

Revenons à la géographie avec cet élève de quatrième qui écrivit :

— ***Je ne peux répondre à la question sur l'agriculture et l'économie de la Hollande, je n'ai appris que les Pays-Bas.***

Heureusement, par un autre élève de la même classe, j'ai découvert, que ***la production industrielle est marquée par une très forte natalité.***

Un instituteur belge avait demandé :

— Pourquoi beaucoup de Hollandais roulent-ils à vélo?

— ***Parce que***, répondit un élève, ***la Hollande est un pays plus souvent sous la mer qu'au-dessus.***

Continuons notre tour d'Europe pour apprendre que :

L'Italie est une péninsuline.

L'éruption du Vésuve a ravagé Pompidou.

La Norvège est toute petite, car la Suède prend toute la place.

En U.R.S.S. poussent des sucres d'orge.

Et, selon un élève canadien, *l'Union soviétique est composée de pays satellites qui ont été forcés d'en faire partie volontairement.*

***

Toujours grâce à mon correspondant particulier en Tunisie, je sais plus de choses sur ce pays que sur les autres :

Les plaines sont des montagnes qui n'ont pas grandi.

Depuis le printemps, les touristes visitent notre pays, car il est joli et ruineux.

Aux souks, j'entends les exclamations des poissons.

L'air de la ville est empesté par les fumeurs des usines.

Les fleuves africains sont très sévères. En général, on ne peut pas les traverser du tout.

La nuit, on s'oriente grâce à l'étoile pulmonaire.

Après la Tunisie, le reste de l'Afrique :

La zone torride est limitée par le tropicorne du concert.

Les maisons en Afrique centrale sont groupées en villages et dispersées en chameaux.

Enfin, selon un petit Algérien, *la Méditerranée est le plus grand fleuve d'Algérie.*

*
* *

Au Québec, il y a cinq millions de Francophones et un million de Saxophones[1].

Au pôle Nord, l'animal le plus utile est l'Esquimau.

En Asie des moussons, le vent qui souffle de la terre vers la mer est l'élysée.

Le Sud de l'Asie est arrosé grâce à la fonte des montagnes.

Maintenant, ce sont surtout les vaches qui sont la principale religion aux Indes.

Les Chinois ont la bombe atomique qui peut leur ouvrir bien des portes.

*
* *

Le préfet d'un collège de Morlaix disait un jour :

— Le premier trimestre est celui des labours, le second des semailles, le troisième des récoltes.

Le troisième trimestre a permis de récolter quelques perles, en particulier parmi les réponses à deux questions posées à des élèves de sixième :

1° Que vous a appris la Déclaration des droits de l'homme?

1. Rien à voir avec le fait qu'un élève ait écrit : *les Saxons parlaient le saxophone.*

La légitime défense et des choses utiles que je ne savais pas auparavant.

2° Pourquoi les enfants doivent-ils aller à l'école le plus longtemps possible?

Pour pouvoir parler indistinctement.

Pour pouvoir fêter un bon Noël.

Pour discuter avec des personnes alitées.

Pour savoir remplir sa feuille d'impôts.

Parce qu'ils sont obligés.

A Meudon, une de ces obligées affirma :

— ***La cabine dans laquelle on pénètre pour mettre son bulletin de vote sous enveloppe s'appelle le boudoir.***

Et de Nantes on m'apprend que ***le président des U.S.A. est illisible pour quatre ans.***

Sur quoi je terminerai par où j'aurais dû commencer, c'est-à-dire par le questionnaire que des élèves belges devaient remplir en début d'année. L'une d'elles leva le doigt et demanda :

— ***Dois-je inscrire le nom de jeune fille de mon père?***

*
* *

Un bon pêcheur de perles ne doit pas toujours pêcher dans les mêmes eaux. D'où l'intérêt des copies du C.A.P. d'employé de banque où l'on apprend par exemple que :

La banque est un lieu public destiné à recevoir la clientèle sous forme de fonds.

Il faut faire souscrire les clients, puis les enfermer dans les coffres pour qu'ils soient à l'abri du vol, de la détérioration.

Si l'actionnaire assiste à l'assemblée, il touche alors une indemnité appelée : Présence de Jeton.

Et pour finir, voici grâce à un lecteur de Lille et orthographe respectée, le devoir de technologie d'un élève de l'École de coiffure. Le sujet était : « Si vous aviez pu choisir la date de votre naissance, à quelle époque auriez-vous aimé être coiffeur? »

J'aurais voulu vivre à l'époque de Louis XIV car tout était grand, beau, les coiffures gigantesques, la vie très belle, j'aurai voulu être coiffeur à cette époque pour dire de faire ces très belles coiffures. Je n'aurais pas voulu vivre à l'époque de Louis XV car c'était la révolution, la pagaille des coiffures affreuses, plâtes, tout le monde se faisait guillotiner, les coiffeurs étaient tombés dans l'oublie. Pour avoir marcher sur le pied du voisin on se faisait guillotiner, le royaume était inquiet et il ne pensait pas à se faire coiffé. A cette époque les coiffeurs se tournaient les pousses. Ils ne pouvaient pas coiffer car les 3/4 du pays n'avaient plus leur tête.

Mais nous sommes au xxe siècle et je laisserai à des Lorientais, candidats au B.E.P.C. 1970, le soin de conclure :

Le XXe siècle suit son petit train qui est la vitesse.

Les gens font du monde un bocal en plastique.

La vie n'est plus qu'une étoile filante.

Interdit aux prof'ânes

Le soir de la rentrée scolaire, un petit garçon de sept ans disait à sa mère :

— *J'ai un maître tout neuf.*

Malheureusement, tous les maîtres ne sont pas neufs. Trop sont sclérosés et ne cherchent guère à renouveler leurs méthodes d'enseignement. Certains ont sans doute été secoués par mai 1968 et par des événements auxquels on peut appliquer la définition de Victor Hugo pour la Commune « une bonne chose mal faite ». Mais combien de professeurs qui, après avoir tremblé, sont revenus à leurs habitudes d'antan, ne laissant aux élèves que la consolation de noter des perles tombées du haut de la chaire.

Il est vrai que les meilleurs professeurs ne sont pas à l'abri des perles. Pourquoi auraient-ils honte de l'avouer? Une jeune enseignante de Compiègne m'a ainsi raconté qu'elle avait dit un jour à propos du présent de narration :

— *En 1715, Louis XIV meurt, exemple de présent historique... pour rendre plus vivant.*

Un élève leva le doigt afin de souligner l'incongruité de la chose et professeure et élèves rirent de bon cœur.

Je fais souvent des conférences et si je cite beaucoup de perles, je crois que je n'en commets guère. Il a pourtant suffi que l'I.C.A.R.T. me demande de faire à ses élèves une causerie, tenant plus du cours que du divertissement, pour que je ponde trois perles en une heure et demie.

Parlant des romans dans lesquels Jean Lartéguy met en scène des parachutistes, j'ai affirmé :

— *Le sujet était dans l'air.*

J'ai dit aussi que je n'aimais pas les histoires drôles qui circulent sur les Biafrais et j'ai ajouté :

— *Elles sont trop noires* [1].

Et j'ai parlé de la réconciliation européenne :

— *Français et Allemands se sont rabibochés.*

Perles bien sûr, mais que j'ai conservées à mon répertoire. Dites avec un clin d'œil, elles deviennent des astuces.

Toutes les perles de professeurs ne peuvent passer pour des astuces et il n'est pas toujours possible de prétendre comme l'un d'eux :

— *Je le fis volontairement pas exprès.*

Et je ne crois pas non plus que Pierre-Henri Simon (du *Monde* et de l'Académie française) ait fait volontairement pas exprès de dire au cours d'une conférence à Cannes :

1. Au Dahomey, en conseil des professeurs, un professeur africain a dit :
— *J'étais noir de colère.*

— ***Le père de Sartre est mort en bas âge.***

*
* *

Un potache facétieux suggérait un jour que tous les élèves devraient inscrire sur leurs cahiers de classe :

Interdit aux prof'ânes.

Les professeurs ânes existent hélas! et ce sont eux qui pondent le plus de perles. Mais la fatigue ou l'énervement sont aussi cause d'un certain nombre de lapsus.

Par exemple, ce professeur de mathématiques disant :

— ***Vous êtes priés de vous relire avant d'écrire.***

Une professeure[1] de couture fait l'appel et tout le monde répond « présente ». Elle compte alors les élèves et s'aperçoit qu'il en manque une. Furieuse, elle s'écrie :

— ***Quelle est l'imbécile qui est absente qui a répondu présente?***

Un professeur de physique et de Niort, voyant un de ses élèves se balancer, lui expliqua :

— ***Vous savez les pieds ont quatre chaises.***

Tandis que pour le même motif, un professeur de français disait :

— ***Arrêtez de vous balancer sur vos quatre pieds.***

Un professeur de sciences conseillait :

1. Oui, oui, « une professeure » et j'ai dit pourquoi dans ma note de la page 9.

— ***Pour la composition, apprenez tous les microbes sauf Pasteur.***

Une professeure de latin n'aimait pas que les élèves fassent des corrections à l'encre rouge :

— ***Vous n'avez,*** dit-elle, ***qu'à prendre un crayon vert qui ne soit ni bleu ni rouge.***

Un professeur de géographie et de Saintes déclarait :

— Vous devez acheter un grand cahier.

— De quelle couleur? interrogea un élève.

— ***N'importe quelle couleur, pourvu qu'il soit bleu.***

Un professeur d'anglais a dit :

— ***Je ne vous demande pas de chercher midi à douze heures.***

Et un autre professeur :

— ***Cet emploi du temps définitif sera provisoire.***

L'ennui est que les emplois du temps provisoires restent souvent définitifs. « Il faudrait, m'écrit un de mes anciens professeurs, que les enseignants deviennent assez intelligents pour faire dans les programmes les coupes sombres que nos seigneurs les inspecteurs généraux refuseront toujours de faire. »

Et de souhaiter que les élèves ne soient plus ces « asnes chargés de livres » dont parle déjà Montaigne.

« Dire, conclut-il, que nous avons avec Montaigne et Rousseau les écrivains qui ont dit les choses les plus sensées en matière de pédagogie et que notre système d'enseignement est, dans l'ensemble et dans les détails, un défi au bon sens! »

Heureusement, une fois encore, il reste la consolation des perles.

Un professeur de sciences naturelles annonçait :

— *Nous allons étudier le singe, regardez-moi.*

Et ses collègues ont dit :

— *Les dents des aliments n'ont pas la même structure que les hommes.*

— *Le nerf auditif va au centre nerveux et permet d'écrire.*

Un professeur canadien déclarait :

— *Il est dangereux de se mettre le nez dans les narines.*

Après les surprises de l'anatomie, celles de la géométrie avec ce professeur qui disait :

— *Tracez-moi un triangle ABCD.*

Il y a pire encore, ce surveillant disant :

— *Faites un carré de dix-sept centimètres sur douze.*

Après avoir dessiné au tableau, un professeur demandait à un élève :

— *Passez-moi le torchon sur la figure.*

Toujours en maths :

— *Le trapèze est un quadrupède.*

Et sachez aussi que :

— *Le goût de l'hygiène répond aux apéritifs de la Société.*

— *Avant Pasteur, sur dix personnes qui entraient dans un hôpital, dix et parfois plus étaient sûres de ne pas ressortir.*

Ce qui vaut ce professeur d'histoire et géographie, opérant à Épinal :

— *Une planète rencontre tous les dix ans une*

autre planète qu'elle n'a pas vue depuis vingt ans.

Autres perles géographiques :

— *L'Amazone est à cheval sur l'Équateur.*

— *En U.R.S.S., le charbon marche au fuel.*

— *En Belgique, cinquante pour cent de la population se consacre à l'industrie et cinquante pour cent à l'agriculture. En Hollande, c'est le contraire.*

— *En Vendée, il n'y a pas de pommiers parce que le climat ne le supporte pas.*

*
* *

Un professeur de français avait demandé à des élèves de troisième de commenter cette phrase de Georges Duhamel : « Le sport est une étonnante entreprise de vanité. » Un des élèves avait compris « une étonnante entreprise de va-nu-pieds ». Il n'eut pas de peine à traiter le sujet de façon passablement convaincante.

Faute d'un assez grand nombre de gymnases, de piscines, de stades, le sport reste en effet très insuffisamment pratiqué en France. Certes, on a augmenté le nombre des heures d'éducation physique dans l'enseignement primaire, mais comme me le faisait remarquer un directeur d'école de la région parisienne :

— Je n'ai qu'une cour pour trois cent cinquante élèves et pas le moindre terrain de sport à proximité. Je suis dans l'impossibilité d'appliquer les directives ministérielles.

Heureusement, ce n'est pas le cas partout et un de mes cousins, qui est professeur d'éducation physique, m'a raconté qu'il avait dit un jour à ses élèves :

— *Ne restez pas groupés. Couvrez tout le terrain.*

Sur quoi, deux ou trois petits malins, bientôt imités par leurs camarades, enlevèrent leur survêtement et l'étendirent sur le gazon.

En revanche, je n'ai aucun lien de parenté avec les professeurs qui ont dit :

— *Mettez-vous à plat ventre sur le dos.*

— *Tenez une jambe tendue et l'autre raide.*

— *Courez les épaules coude à coude.*

Un professeur du lycée Lakanal disait à un de ses élèves :

— Mettez le ballon au milieu du centre.

— Mais, m'sieur, c'est un pléonasme.

— *Non, c'est un ballon Michelin.*

*
* *

Un des plus grands pondeurs de perles européens est un professeur de néerlandais dont il faut dire que le français n'est pas la langue maternelle. Un lecteur belge, qui fut son élève vers 1960, m'a communiqué quelques-unes des perles dudit professeur :

— *Il est assis avec sa chaise projetée contre le mur.*

— *Il ne peut cacher sa méprise pour cet homme.*

— *Il a dû travailler par une fièvre de quarante degrés sous zéro.*

Les élèves lui montrèrent un jour une liste de ses fautes, il ne fit qu'en rire et déclara :

— *Ce n'est pas possible que j'aie dit tout ça, ce sont des inventeries!*

Histoire maintenant, avec d'autres professeurs :

— *Chaque année, le 2 décembre 1805, on commémore la bataille d'Austerlitz.*

— *Ce geste imprudent ne tomba pas dans l'œil d'un sourd.*

— *Les rois en Angleterre ne peuvent se marier qu'avec des princes.*

— *Quand le roi est une femme, alors la reine est un prince.*

— *Les chevaux du Moyen Age faisaient toute la route à pied.*

Un élève demande une précision :

— A quel âge est mort saint Louis?

— *Voyons, il est mort en 1270... A quel âge est-il donc né?*

A Beauvais, un professeur de français a dit :

— *Vous n'avez pas répondu à la question à laquelle je vous ai posée.*

Alors que c'est dans l'Ardèche, qu'un professeur agrégé des lettres déclara :

— *Sertorius n'en croit pas ses oreilles de voir Pompée.*

— *Diderot attendra d'être mort pour faire paraître ses œuvres.*

Et un autre professeur :

— *On pourrait faire un duo à quatre ou cinq.*

Après toutes ces perles, des parents seront peut-être tentés de crier au scandale. Mais qu'ont-ils fait ces bons parents pour que l'on revalorise la situation des maîtres de leurs enfants? Se sont-ils indignés de la modicité de certains traitements?

« Il faudrait, m'écrit une enseignante, que socialement le professeur ne soit plus un minable comme disent les grands élèves. Nos « têtes de classe » vont vers la médecine ou l'école dentaire au lieu de venir chez nous et ils ont raison, car ils sont plus réalistes que nous ne l'étions à leur âge. Il ne nous reste donc (à part quelques exceptions qui filent tout droit vers l'enseignement supérieur) que les médiocres et, quoi qu'on fasse, quels que soient les programmes, quelles que soient les méthodes et la formation pédagogique, un professeur médiocre ne donne qu'un enseignement médiocre. »

Ce tableau est un peu noir et il y a encore nombre de bons éléments dans la jeune génération. Mais combien souhaitent appliquer des méthodes modernes et se heurtent au veto des inspecteurs ou même à l'incompréhension des parents?

Écoutez-les grommeler, ces chères mères de famille :

— Mon fils dit qu'il s'amuse bien en classe.

— Il n'a jamais de devoirs à faire à la maison.

— Sans doute parce qu'elle a la flemme de les corriger.

— Comme si elle n'avait pas le temps de se reposer, avec toutes ces vacances qu'ils ont!

Et voilà une jeune enseignante, surtout si elle a l'outrecuidance d'être jolie et élégante, contre laquelle on signera une pétition, sans se rendre compte que les enfants ont fait bien plus de progrès qu'avec la grosse dame revêche qui, l'année précédente, les abrutissait de leçons, de devoirs et de lignes à copier.

*
* *

Depuis 1969, à l'instigation de M. Edgar Faure, la plupart des enseignants ont remplacé les notes par des lettres, des étoiles et autres signes plus ou moins cabalistiques. Résultat : les parents ont encore plus de peine à se rendre compte de la façon dont travaillent leurs enfants. Ou alors ils ont des surprises, comme ce père qui apprit un jour que les F figurant sur le cahier de son fils signifiaient *faible* et non *formidable*, comme l'affirmait ledit fils. Tandis qu'un autre père mit trois mois à comprendre que TI ne voulait pas dire *très intéressant* mais *très insuffisant.*

Heureusement, certains professeurs restent fidèles au zéro. Tel celui-ci, opérant en Côte-d'Ivoire et en sixième, à qui un de ses élèves parlait *des z'héros mythologiques* et qui dit :

— *Celui que tu vas récolter sera loin d'être un mythe.*

Avec ou sans zéros, la discipline est l'occasion de nouvelles perles.

« Combien d'entre nous et moi aussi, m'écrit une professeure de C.E.S., ont dit tout à coup, en plein cours, aux élèves tranquillement assis : *Asseyez-vous.*

« Il m'est arrivé aussi de confondre l'autorité familiale et professionnelle et de dire : *Mangez* ou *à table*, à la place d'un ordre scolaire. »

La même professeure se souvient comment un jour, souffrant de migraine, elle écrivit *vous avez mal à la tête*, au lieu de vous avez mal travaillé.

Alors qu'un autre professeur écrivit sur un devoir de physique :

Faites vous-même votre autocritique et constatez les lagunes qui existent dans vos connaissances.

Retournons en classe pour de nouvelles perles :

— *Vous êtes toujours en train de me rire au nez quand j'ai le dos tourné.*

— *C'est malheureux, il faut que j'écrive d'une main au tableau et que je vous surveille de l'autre.*

— *Taisez-vous, vous, là-bas, dont le voisin est personne.*

— *Taisez-vous, sinon mardi je fais une interrogation-surprise.*

— *Quand je parle, vous écoutez d'une oreille et vous discutez de l'autre.*

— *Si vous ne travaillez pas plus, vous verrez les catacombes à la fin de l'année.*

— *Taisez-vous, sinon je vais écrire sans que vous entendiez.*

— *Je vais me fâcher toute crue et il vous en cuira.*

— *N'avez-vous pas honte de vous amuser, alors que les autres s'époumonent à écouter.*

— *Je ne veux plus entendre vos grimaces.*

Tandis qu'à la fin de la classe, épuisé par une heure de chahut, un professeur s'écrie :

— *Restez absents.*

Lapsus digne de ceux de ces professeurs disant :

— *Va me copier ton couloir dans le livre.*

— *Tournez à la ligne et allez à la page.*

Une enseignante, un peu bafouilleuse il est vrai, parlait de *Lutin et Calvaire* (au lieu de Luther et Calvin).

Un professeur de lettres demandait :

— *Alors ce verbe? Président de l'indicatif.*

Et la conclusion revient à un professeur qui s'écriait :

— *Cette fois, vous dépassez les borgnes.*

*
* *

Après la classe, on se rend parfois en étude.

— Tais-toi, dit le pion de service à un élève.

— J'ai rien dit, m'sieur.

— *Tais-toi quand même.*

Autres pions, autres perles :

— *Je ne veux pas vous entendre lever la main.*

— *Je vais donner des avertissements sans avertir.*

— *Que celui de vous deux qui parle dise à l'autre de se taire.*

Ce qui vaut le professeur stagiaire se plaignant d'un élève :

— *Il faut qu'il se taise même s'il ne parle pas.*

Un autre professeur surveillait des élèves en étude.

— Comme vous avez beaucoup de travail pour demain, avancez-vous, dit-il.

Aussitôt, un petit rigolo pousse son banc en direction du professeur :

— Que faites-vous? demande celui-ci.

— Je fais ce que vous avez dit, je m'avance.

— ***Ah! c'est malin, eh bien, vous serez collé. Vous êtes fixé maintenant.***

Encore un rigolo, cet élève à qui son professeur reprochait des résultats peu brillants et qui répondit :

— ***Il n'y a qu'à mettre de la cire dessus.***

Un petit Belge avait eu cinquante lignes à copier. Il remit une feuille blanche sur laquelle ***il avait tracé à la règle cinquante lignes bien droites.***

*
* *

En mai 1968, les classes furent un peu partout remplacées par des assemblées générales. Ce fut au tour des élèves d'essayer d'obtenir le silence. Ainsi cette élève qui, ne parvenant pas à faire cesser le brouhaha, s'écria :

— ***Quand on parle, on se tait!***

Rien n'était changé et pourtant les vrais changements ne devraient pas tarder. Une fois de plus, ils seront imposés par la technique. En particulier par les vidéo-cassettes qui sont d'une utilisation beaucoup plus souple que les émissions de télévision scolaire programmées à heures fixes.

Mieux vaut en effet un bon professeur-robot qu'un mauvais ou même qu'un médiocre professeur en chair et en os. Le jour où cette vérité sera admise à l'Université (et même en seconde, première et terminale), ce jour-là, l'enseignement fera enfin un véritable pas en avant.

Bien sûr, cela signifiera la fin de pas mal de privilèges, mais à l'heure où tant d'industriels, de commerçants, d'agriculteurs sont contraints de se reconvertir, on voit mal pourquoi il n'en serait pas de même pour certains professeurs.

Pour moi, cela ne changera rien, car je suis sûr que les vidéo-cassettes auront leurs perles comme les livres de classe ont les leurs. A commencer par ce livre de sciences de troisième dans lequel on lit :

La période d'incubation de la variole est entièrement silencieuse et dure de dix à quatorze jours.

Un professeur d'anglais m'a aussi signalé une histoire de renard se débarrassant de ses puces dont le titre (« the delousing of a fox ») est traduit par : ***Le dépucelage d'un renard*** [1].

* * *

L'année scolaire est finie ou presque. Il reste à recevoir ses notes et c'est peut-être le moment

1. *L'Anglais par l'action* de Richard et Wendy Hall, Hachette, classes de quatrième et troisième.

le plus douloureux. Comme disait un élève :

— ***Heureusement que l'on n'a pas de bulletin trimestriel tous les quinze jours!***

Sur les bulletins trimestriels, les professeurs se laissent parfois aller à des appréciations volontairement drôles. Par exemple :

Jean poursuit ses études mais ne les rattrape pas.

A des lacunes dans son ignorance.

Comprend peu mais mal.

Tandis qu'un professeur de philo disait à un élève :

— ***Vous êtes d'une ignorance encyclopédique.***

Les noms des élèves sont l'occasion pour certains professeurs de faire des astuces (du genre *Charles... attend*) qui ne sont pas toujours très brillantes, mais qui n'en provoquent pas moins les rires polis de toute la classe.

Ainsi, le jour où un professeur de dessin, donnant les notes de composition, annonça :

— ***Lachaux : sept.***

Et ce pion aussi voulait être drôle quand il écrivit comme motif de punition :

— ***Imite le bruit de la mitraillette au dortoir au risque de blesser ses petits camarades.***

J'ai recueilli cette perle au lycée de Talence où je fis mes études de 1934 à 1937 et où je revins en 1970 pour une conférence sur l'humour. Conférence qui, comme toutes celles que je fais, me permet d'augmenter la longueur de mes colliers.

Si je suis courageux pour faire des conférences, je ne le suis pas pour fréquenter les réunions de parents d'élèves. J'ai tort car elles sont souvent riches en perles et je n'en ai qu'une dans mon carnier :

— *A tous ces jeunes qui veulent des réformes, il faut donner des travaux manuels. Ça leur fera les pieds.*

*
* *

Une institutrice de l'Yonne m'a raconté qu'une de ses élèves, prénommée Lydia, avait gribouillé un horrible dessin. Le dessin fut attaché avec une épingle de nourrice au tablier de Lydia, sous son manteau.

L'après-midi, l'institutrice demanda à Lydia :

— Qu'a dit ta mère en voyant ton dessin?

— Qu'il n'était pas joli. Elle l'a déchiré.

— Et mon épingle, tù me la rends?

— *Papa l'a gardée. Il n'avait pas de bouton à sa culotte.*

Une professeure m'a raconté qu'un monsieur lui amena récemment son fils, élève au demeurant fort turbulent. Au moment de partir, le monsieur déclara sévèrement à son rejeton :

— *Devant ton maître, je ne dis que trois mots : At-ten-tion.*

Il faut plus de trois mots aux parents pour rédiger un billet d'excuses. Tel celui-ci, reçu par une institutrice belge :

Escuser l'apsence de mes filles : elle ont souffer du mal de Georges.

Au Luxembourg, on écrit :

Veuillez excuser mon fils qui souffrait d'une indigestion d'estomac.

Veuillez excuser mon fils qui avait le court-vite.

Autres lettres, reçues par un instituteur de la Martinique :

Mon fils souffre de fièvre : trente-neuf degrés à l'ombre.

J'espère que l'année solaire se passe bien pour ma fille.

Veuillez agréer, monsieur, mes salueuses respectations.

Et le plus joli billet d'excuses est certainement celui qui fut adressé à une institutrice du Morvan :

Madame mon fils a manqué la classe hier à cause de la mortalité du cochon.

Avec le papier, l'enfant donna à l'institutrice un paquet contenant un morceau de boudin et une grillade de porc :

— *Maman a dit : Tu donneras ça à ta maîtresse pour l'amoindrir.*

Mais tout le monde ne tue pas le cochon et une Parisienne se plaignait récemment :

— *Le maître ne pouvait pas empiffrer mon fils.*

*
* *

L'école est finie et les perles continuent. A Praz-sur-Arly, dans un V.V.F., un brave père de famille dit à l'animateur de service :

— Je vais vous raconter une histoire très drôle que vous pourrez utiliser. C'est une dame qui monte dans un train et qui s'assied en face d'un monsieur. Voilà, là-dessus, vous n'avez plus qu'à broder.

Enfin Marie-Ève vint

CERTAINS parents s'habituent mal à voir leurs enfants grandir et regrettent le temps où ils étaient petits. Ce n'est pas mon cas, sauf sur un plan, celui des mots d'enfants. En effet, mon Jérôme de fils (quinze ans au moment où j'écris) et mon Vincent de neveu (douze ans trois quarts) disent encore des bêtises, mais elles ne sont plus drôles.

Par bonheur, ma nièce Indiana a la bonne idée d'avoir une fille, prénommée Marie-Ève et qui est une merveilleuse mine de mots. Malheureusement, Marie-Ève habite Paris et, moi, Paris, j'y vais le moins souvent possible. Heureusement, Marie-Ève avait quatre ans quand un docteur très intelligent décréta qu'elle devait passer trois mois à la campagne. Et la campagne, bien sûr, ce fut la Cancrerie.

Marie-Ève ne se révéla pas une demoiselle de tout repos. Mais comme elle m'avait surnommé « le loup » et qu'elle feignait d'avoir très peur de moi, je fus ravi. Quant à ma Jehanne de femme, si sévère avec Jérôme et Vincent, elle se laissa mécaniser par Marie-Ève. Et Marie-Ève traita Jérôme et Vincent avec une dureté qu'ils supportèrent en souriant. Ce qui n'empêcha pas la donzelle de se plaindre sans cesse :

— *J'ai un mal avec ces garçons!*

Un jour, Marie-Ève était furieuse :

— *Ça,* dit-elle, *je ne peux pas le supporter : Jérôme m'a appelée « la vieille ».*

Naturellement, Marie-Ève se promène dans la campagne. Elle passe ainsi près d'une étable où meugle une vache.

— *Pauvre vache,* s'écrie-t-elle, *elle est enfermée dans cette maison. On va lui envoyer une carte postale.*

Un soir, Marie-Ève pleure dans son lit.

— Pourquoi pleures-tu? lui demande-t-on.

— *Parce que je ne trouve plus mon mouchoir pour pleurer.*

Dans les discussions, les répliques fusent encore plus rapidement. Je dis :

— Marie-Ève, tu es une poule de luxe.

— *Et toi, tu es un poulet de luxe. On va te manger.*

A la réflexion, ce n'est peut-être pas génial. Mais sur le moment la réplique m'enchanta.

Au bout de quelques jours, Marie-Ève décida que Vincent serait son mari, mais c'était surtout pour avoir de nouvelles raisons de se plaindre :

— *Je demanderai à un agent la rue pour avoir des maris. Parce que mon mari il ne travaille pas, il fait des dessins. Je vais le mettre dans une pension pour maris qui ne font rien pour leur femme.*

Inutile de dire que Marie-Ève est très bavarde, sauf un certain jour où je la présentai à Pierre, un joyeux blondinet du même âge qu'elle.

Particulièrement déluré, Pierre a quelques belles répliques à son actif et j'augurais bien de la rencontre des deux « phénomènes ». Ils descendirent à la salle de jeux et on les laissa seuls. Las! Eux, si brillants en compagnie des adultes, se révélèrent incapables de trouver un sujet de conversation ou d'organiser un jeu quelconque. Au bout d'une demi-heure, Pierre remonta et, avec des larmes dans la voix, me demanda de le ramener chez lui.

Au retour, je trouvai Marie-Ève en grande conversation avec sa tante Jehanne.

— ***Le petit Pierre,*** me dit-elle, ***il est trop jeune pour moi.***

*
* *

Depuis cet automne 68 qu'elle passa à la maison, Marie-Ève a fait bien d'autres mots. En particulier à Noël 69 où elle revint à la Cancrerie. Elle se déclara amoureuse de moi et se lança même dans des projets d'avenir :

— ***Si ma tante va en prison, j'épouserai mon oncle.***

Comme je ne donnais pas suite, elle se rabattit sur Vincent, tout en se plaignant beaucoup qu'il ne lui gagnait pas assez d'argent. Et Vincent mit le comble au mécontentement de Marie-Ève en m'accompagnant un jour à Paris.

— ***Il faut qu'il soit fou,*** dit-elle, ***pour aller au cinéma au lieu de rester avec moi.***

Dans le taxi, la conductrice bavarda avec nous et demanda à Vincent (douze ans à ce moment-là) s'il s'intéressait aux filles.

— ***Ben,*** dit-il, ***à la maison, nous avons Marie-Ève qui a cinq ans. Elle est bien gentille, mais elle est très capricieuse et ça me donne à réfléchir pour l'avenir.***

J'ai dit que Jérôme et Vincent ne faisaient plus de mots. J'aurais dû dire « presque plus ». Jérôme avait quatorze ans quand il me posa cette question :

— ***Héroïne, le féminin de héros, est-ce que ça s'écrit comme de l'héroïne?***

Un soir, il y avait des crèmes frites, dessert dont je suis particulièrement friand, mais qui est peu compatible avec une ligne que je surveille jalousement.

— Je prends encore deux crèmes, dis-je, et point à la ligne.

— ***Hum,*** dit la voix douce de Vincent, ***est-ce que ça ne serait pas plutôt virgule?***

Vers la même époque, je demandai à Jérôme et Vincent quel homme célèbre ils auraient aimé être et ne pas être. Petit test que je recommande en passant aux lecteurs de ce livre. Voici les réponses que j'ai obtenues :

Jérôme (douze ans). — ***J'aurais voulu être Charlemagne parce qu'il a fait du bien à la France... Je*** *n'aurais pas voulu être Louis XVI parce qu'il a eu une triste fin.*

Vincent (dix ans). — *J'aurais voulu être François Ier parce qu'il était brave... Je n'aurais pas voulu être Colbert parce qu'il travaillait trop et qu'il n'avait pas le temps de dormir.*

*
* *

Marie-Ève adore composer des chansons et des histoires. Un jour, je la trouvai devant la glace, mimant ce qui suit :

Quand je vois un garçon qui dort, je lui dis : « Ouvre tes yeux. »

Quand je vois une demoiselle qui dort, je lui dis : « Ouvre tes grands yeux. »

Et quand je vois un bébé borgne, je lui dis : « Ouvre ton œil. »

Elle ne doute d'ailleurs de rien et elle réclame :

—*Je veux de la musique en anglais pour mon tour de chant.*

Hélas! Marie-Ève est repartie à Paris. Mais on téléphone de temps en temps pour me tenir au courant de ses mots. Par exemple, le jour où (c'était avant la mode « maxi ») elle dit à une jeune religieuse :

— *Il faut raccourcir votre robe, faire beaucoup d'ourlets. Et puis, vous savez, le noir ce n'est plus à la mode du tout.*

Marie-Ève avait cinq ans et demi quand elle

eut un gros chagrin : la mort de son bengali. Elle se mit en prières, car elle est très pieuse, puis voyant que le bengali ne ressuscitait pas, elle dit à sa mère :

— *Il faut m'acheter deux bengalis. Comme ça, s'il y en a un qui meurt, je n'aurai pas de chagrin. C'est comme pour toi, si je meurs, tu as David.*

Et elle tint à expliquer à son frère, le gros et placide David (deux ans et demi), que le bengali était mort.

— *Parce que*, dit-elle, *on ne grandit pas, si on ne sait pas ce que c'est que d'avoir de la peine.*

Hiver 1970-1971, revoici Marie-Ève à la Cancrerie, cette fois pour soigner une coqueluche. Et, bien sûr, c'est l'occasion de noter de nouveaux mots :

— *Je ne veux pas beaucoup d'enfants*, dit-elle, *si j'en avais mille, je les donnerais aux pauvres.*

Elle caresse la chatte Belle-Minette et demande d'une voix désolée :

— *Pourquoi elle me sourit pas?*

Elle est toujours aussi sévère avec les garçons et les mène à la baguette :

— *Vincent, si tu ne joues pas avec moi, le gâteau de ce soir va te passer sous le nez... et sans s'arrêter.*

Marie-Ève a entendu dire que j'avais une rubrique dans *l'Écho de la Mode* et que j'offrais chaque jour une véritable perle de culture du Japon à la lectrice m'ayant envoyé la plus jolie perle d'inculture ou le plus joli mot d'enfant.

Un beau matin, elle entre donc dans mon bureau et me dit :

— Si tu aimes tant *l'Écho de la Mode*, tu n'as qu'à te marier avec *l'Écho de la Mode.*

J'essaie de lui expliquer que ce qu'elle vient de dire est stupide. Ne suis-je pas marié avec sa tante Jehanne? Et puis on ne se marie pas avec un journal.

Marie-Ève écoute poliment, puis de son air le plus enjôleur, elle m'explique :

— ***Mais j'ai dit ça pour gagner une perle.***

Bien sûr, c'est un faux mot, fabriqué pour les besoins de la cause, donc contraire à la règle du jeu. Mais Marie-Ève insiste. Elle veut sa perle.

Elle l'aura, car je raconte l'histoire dans *l'Écho de la Mode*, en ajoutant un vrai mot d'elle. C'était un jour où, reprenant une de ces vieilles scies que les écolières se répètent de génération en génération, elle me dit :

— Tu as des yeux bleus, c'est des yeux d'amoureux. Moi, j'ai des yeux marron, c'est des yeux de cochon.

Puis, un peu ennuyée, elle précisa :

— ***Mais pas de cochon qui mange salement, de cochon rose.***

Oncle hibou, je me demande si je ne suis pas mauvais juge de la qualité des mots de Marie-Ève. Ai-je raison de m'extasier devant ses périodes de délire surréaliste, quand elle dit par exemple :

— ***Vous êtes contents avec votre petit cadeau? Une belle boîte avec un lion qui vous mangera, qui ira jusqu'au ciel et qu'on aimera beaucoup avec du roquefort.***

*
* *

Ma cousine Marie-Claire a quatre enfants et la bonne habitude de noter leurs mots. Elle m'en a ainsi envoyé près de cent cinquante. Voici les meilleurs :

Le jour de l'Épiphanie, on mange la galette et Véronique (huit ans) trouve la fève.

— Choisis un roi, dit papa.

— *Non, je suis une reine veuve.*

Étrange Véronique qui écrit des petits textes pleins de poésie. Par exemple :

Le soir une feuille morte descend; une fleur la regarde. Elle est morte! soupire-t-elle. Elle est morte, elle est morte. Elle pleure, elle pleure tellement que cela forme un petit lac et là la feuille est ressuscitée.

François (sept ans) demande :

— *Maman, pourquoi on dit que le tympan est l'organe de Louis? Pourquoi pas de François?*

Toujours François, mais l'année suivante :

— Maman, tu l'as bien choisi en mariage papa.

— Ah! pourquoi?

— *Parce que je l'aime bien.*

A la gare, au service des bagages :

— *Maman, pour la malle, on ne paie pas de rançon?*

Marie-Claire demande à Sophie (deux ans et demi) :

— Pourquoi as-tu retiré un bras à ta poupée?

— *Ben, parce qu'elle a trop chaud.*

Sophie a cinq ans quand elle chante :

— ***Il court, il court le curé, le curé du bois joli.***

Et Nicole (trois ans) tousse :

— ***J'ai mal à ma voix,*** dit-elle.

Une autre de mes cousines s'appelle également Nicole. Un jour, elle rencontre le médecin qui a procédé à l'accouchement de sa fille France.

— Tu vois, dit-elle à celle-ci (sept ans), c'est le docteur qui s'est occupé de toi quand tu es née.

— ***Ah!*** répond France, ***je ne le reconnais pas.***

*
* *

Les enfants de ma famille n'ont pas l'exclusivité des perles. Le petit Pierre dont j'ai raconté l'entrevue ratée avec Marie-Ève avait trois ans quand il demanda :

— ***La nuit c'est noir, alors le jour c'est propre?***

L'année suivante, visitant Paris, Pierre s'apitoyait.

— ***Oh! les pauvres arbres. Ils les mettent en cage.***

Pierre a maintenant six ans et, comme il lit très bien, il m'a demandé de lui offrir *le Carnaval du rire.* J'ai obtempéré et inscrit la dédicace d'usage. Celle-ci consistant essentiellement en un bonnet d'âne orné de la mention HÂNE.

— Tu ne remarques rien? demandai-je.

Pierre avait remarqué ce H intempestif. Il sourit avec indulgence et me dit :

— *Ça ne fait rien, allez. Ce qui compte pour moi c'est le dessin.*

*
* *

Sur le plan des mots d'enfants, Marie-Ève a un sérieux concurrent en la personne de Gautier, fils de ma belle-sœur Inès. C'est un petit coq aux longs cheveux noirs et à l'air particulièrement décidé.

A deux ans, il était terrible, aussi terrible que le fut Jérôme au même âge. Ce qui ne l'empêchait pas d'adorer sa mère. Dès qu'il sut parler, il alterna les *je t'aime* et les *je vous couperai, je vous jetterai dans la bouche de chaleur.*

Une autre fois, il devait avoir quatre ans, il dit :

— *Quand le Bon Dieu a fait maman, il a fait son nez, ses yeux, ses cheveux, puis il a dit : « Oh! »*

Gautier aime bien aussi sa tante Frède et il se promène souvent avec elle. Un jour, ils croisent un monsieur et un enfant.

— C'est un garçon ou une fille? demande Frède à Gautier.

— *Je ne sais pas. Ça s'appelle Catherine.*

Marie-Ève va parfois passer quelques jours chez Gautier. Bien qu'il soit d'un an son cadet, elle daigne ne pas le trouver « trop jeune », et elle l'a même ajouté à la liste de ses maris.

Un jour, tante Frède dit à Gautier :

— Demain, je verrai Marie-Ève. As-tu une commission pour elle?

— Oui. Dis à ma femme que tous nos petits sont morts.

— Quoi?

— ***Ils ont goûté un médicament que j'avais donné à leur mère qui était fatiguée et ils sont morts.***

Il arrive cependant que Marie-Ève s'interroge sur Gautier.

—***Je me demande si c'est un mari***, dit-elle. ***Quand il me téléphone et que la standardiste coupe, il pleure. C'est pas d'un mari. J'ai vu souvent ma maman pleurer, mon papa jamais.***

Ce qui n'a pas empêché Marie-Ève et Gautier de célébrer un jour leur mariage, en coupant, pour la circonstance, toutes les fleurs du jardin.

*
* *

Outre Marie-Ève, Gautier a deux passions : les films de cow-boys et la musique. Il est très doué pour imiter les instruments et a un étonnant sens du rythme.

Un jour, Inès le trouve en compagnie de sa grand-mère.

— Gautier, dit celle-ci, veut que je lui explique ce qu'est un symbole et je n'arrive pas à me faire comprendre.

Le contraire eût été étonnant, car Gautier voulait savoir ce qu'étaient des cymbales.

Boum, boum! Pan, pan! Rien ne vaut les Indiens et les cow-boys de la télé. Et Gautier croit qu'ils existent.

— Non, lui dit sa mère, la télé c'est comme une photo.

— C'est pas une photo, ça bouge.

Un temps.

— ***Maman, tu vas casser la vitre pour que je passe de l'autre côté avec les cow-boys.***

Bien qu'il n'ait que cinq ans, Gautier cherche à entraîner les adultes dans ses jeux. Tel ce vieux monsieur, qui doit s'affubler d'un chapeau de cow-boy et d'un mouchoir de cou, puis faire consciencieusement panpan au moment où Gautier sort de la maison. Hélas! Le pauvre homme a mal compris et Gautier explique d'un air sévère :

— ***Faut pas tirer comme ça! Je sors, vous me dites : « Qu'est-ce que vous faisez? » Je vous menace et là, vous tirez.***

Une autre fois, c'est sa tante Jehanne que Gautier cherche à entraîner dans son jeu. Il lui décrit la grande bataille, entre cow-boys et Indiens, qui est censée se dérouler au fond du jardin.

Tante Jehanne est en train de lire et elle n'a pas envie de jouer. Pour se débarrasser de Gautier, elle suggère :

— Va donc voir qui est-ce qui gagne.

Gautier part aux informations et revient un moment après en disant :

— ***Ils gagnent cent francs, c'est tout.***

Pierre, le père de Gautier, essaie d'utiliser la passion de son fils dans un but éducatif :

— Les cow-boys ne sucent pas leur pouce.

— ***Les grands cow-boys, non,*** dit Gautier, ***mais les petits cow-boys, oui.***

Gautier a également une énorme admiration pour les ouvriers. Dans le salon d'attente du docteur, ils sont cinq, tous en bleu de travail.

— ***Maman,*** chuchote Gautier, ***est-ce que je peux leur dire que, moi aussi, je suis un ouvrier?***

En revanche, les choses se passent moins bien avec le docteur.

— Alors, dit celui-ci jovial, que fait-on à ce grand garçon? On lui coupe la tête ou on lui ouvre le ventre?

Et Gautier furieux se dresse sur ses ergots :

— ***Les cow-boys, eux, quand ils sont piqués par un serpent, ils font un trou avec un couteau, ils mettent de la poudre de balle et ils vont pas chez le docteur.***

Gautier adore se promener en auto avec sa mère. Un jour, à la suite de je ne sais plus quelle infraction, un motard oblige Inès à s'arrêter. Elle descend de voiture et tente de parlementer jusqu'au moment où Gautier, passant la tête à la portière, crie :

— ***Je vous préviens, vous : si vous ennuyez ma mère, j'appelle la police.***

Ce qui fit tellement rire le motard qu'Inès s'en tira sans contravention.

Le 11 novembre 1970, Gautier se trouve en Dordogne avec ses parents. Ils déjeunent au restaurant et Gautier remarque au fond de la salle un groupe de messieurs qui discutent avec animation. Il s'informe et on lui explique qu'il s'agit d'anciens combattants. Ravi, il se précipite aussitôt vers eux.

— ***Alors***, demande-t-il, ***quand est-ce que vous attaquez?***

Pas de vacances pour les perles

En mai 68, la plupart des élèves de l'enseignement public furent priés de rester chez eux. Une dame disait à sa nièce (cinq ans) :

— Alors, Véronique, tu es contente d'être en vacances?

— *Oh! Mais je ne suis pas en vacances, je suis en grève.*

Après les grèves, les vacances. On charge les bagages et un petit garçon dit :

— *C'est quand même commode une impératrice sur le toit d'une voiture.*

L'auto roule à vive allure, Daniel (six ans) et Christine (douze ans) ont été chargés de s'occuper de leur petit cousin Franck (un an).

— Tiens-le bien, dit papa à Christine, qu'il ne se cogne pas.

— *Oh! oui,* renchérit Daniel. *Surtout qu'il n'est pas à nous.*

On passe devant une maison en construction et qui n'a pas encore de toit.

— *Regarde,* dit Francis (quatre ans), *une maison décapotable.*

Vacances dans le Lot. Louis-Pierre et ses parents visitent le gouffre de Padirac. A la sortie, Louis-Pierre dit :

— *Eh bien, papa, on n'en a pas mangé des gaufres de Padirac.*

Sylvie (trois ans) est déçue de découvrir la Belgique sous la pluie :

— *Elle est pas belle, la Gique.*

Il continue à pleuvoir. Pascale demande à sa mère :

— *Alors, tu l'allumes ton parapluie?*

En vacances, quand il fait beau, on a le temps d'admirer la nature, le ciel. Simone appelle :

— *Maman, viens voir le coucher de soleil qui se lève.*

François (quatre ans) dit :

— *Le soleil, le soir, il enlève ses cheveux et puis c'est la lune.*

On explique à Alexis (trois ans) :

— Le soleil ne se couche pas. Il va éclairer les gens de l'autre côté de la Terre.

— *Mais non, il va se coucher avec sa femme soleil.*

Pas de soleil aujourd'hui. Le brouillard recouvre entièrement la région et un petit garçon (cinq ans) s'écrie :

— *Oh! tout le ciel est tombé dans la rue.*

Tandis qu'un autre enfant, regardant en l'air, demande :

— *Ce serait vide s'il n'y avait pas de ciel?*

Encore un petit garçon qui regarde en l'air, mais cette fois par une belle nuit étoilée.

— *Oh!* s'exclame-t-il, *venez vite voir ces petites gouttes de soleil.*

*
* *

Christian (quatre ans et demi) et Édith (trois ans) vont aller pour la première fois au bord de la mer :

— Tu sais ce que c'est que la mer? demande Christian à sa cadette.

— Non.

— ***Grosse bête, c'est la terre des baleines.***

François voit passer un marin avec un grand col blanc.

— ***Maman,*** demande-t-il, ***pourquoi les marins mettent leur serviette à l'envers?***

Patrice (cinq ans) se prépare à partir pour Auxonne, chez sa tante. On lui explique :

— Il y a une rivière qui s'appelle la Saône. Elle passe derrière chez Tata. Tu pourras certainement aller la voir.

— ***Oui, mais il faudra demander à quelle heure elle passe, la rivière.***

A la piscine, un petit Charentais de huit ans a subi les explications théoriques du maître nageur. Ensuite, à l'eau!

— Grenouille, grenouille..., fais la grenouille, hurle le maître nageur, en voyant son élève couler.

Et, sortant la tête de l'eau, le malheureux éructe :

— ***Coa! Coa! Coa!***

La pétanque pose moins de problèmes. Et les joueurs en herbe ont déjà le sens de la réplique :

— *Je le vois bien le cochonnet, je ne suis pas cul-de-jatte.*

Monique (trois ans et demi) a campé avec ses parents. Elle explique :

— *La nuit, on s'éclaire avec une langue de poche.*

Philippe (quatre ans) a couché pour la première fois à l'hôtel. Il se lève tôt et remarque d'un air satisfait :

— *Oh! on dort vite ici.*

Bernard n'est pas moins satisfait de ses vacances en Espagne. Il joue sur la plage avec les enfants du pays et il explique fièrement à son père :

— *Tu sais, je leur parle en espagnol avec mes mains.*

Les vacances sont finies. Maman fait les valises.

— *On ferme les volets*, dit Hervé (cinq ans), *on ferme la fenêtre et puis on ferme la porte des vacances.*

*
* *

Grand-mère fait sa vaisselle, Bruno (trois ans) s'amuse dans sa chambre. Soudain un grand bruit.

— Bruno, que fais-tu? Des petites bêtises?

— Eh non.

— Alors, tu en fais des grosses?

— *Eh non, des moyennes.*

En classe aussi, les enfants font parfois des bêtises :

— Qu'est-ce que tu as, Jean-Claude? dit l'institutrice. D'habitude tu es insupportable, mais aujourd'hui c'est pire que tout.

— *Et encore*, dit Jean-Claude, *je suis fatigué!*

Pas fatigué pour faire des bêtises, Raymond (huit ans) a été envoyé au lit sans dîner. Furieux, il monte l'escalier et soudain on l'entend crier :

— *Je foutrai la maison par la fenêtre.*

Philippe (trois ans) n'était pas sage non plus.

— Attention, dit maman, tu vas avoir une bonne fessée.

— *Tu te trompes, maman, elles sont vilaines les fessées, elles sont pas bonnes.*

Henri (trois ans et demi) avait dit un gros mot à un voisin.

— Ce n'est pas bien de dire cela, explique celui-ci. Le dis-tu à ta maman?

— *J'y dirais bien, mais elle veut pas.*

Entre eux, les enfants se disputent souvent. Au temps où on l'appelait encore Didine, la romancière Claude Cénac, était furieuse contre son jeune frère Poupon.

— *Il ne m'écoute pas*, disait-elle, *il n'en fait qu'à sa tête, il est insupportable, mais c'est bien fait pour moi, c'est de ma faute, je suis trop familière avec lui.*

Une maman belge essaie d'apprendre la galanterie à son fils (cinq ans) :

— Alain, ce ne sont pas tes sœurs qui doivent aller chercher cette bouteille à la cave, c'est toi. Tu dois être courtois avec les femmes comme un chevalier.

— *Très bien! Qu'on m'amène donc un cheval.*

Un autre garçon se voyait en roi et plus précisément en Louis XIV.

— Toi, dit-il à Annick, tu seras ma maîtresse.

Mais Annick (six ans) se trouve bien petite pour un tel rôle.

— *Oh! non*, dit-elle, *j'aimerais mieux être l'élève.*

Cyril aurait voulu jouer avec les plus grands. Hélas! ceux-ci ne veulent pas de lui sur l'île de Robinson Crusoé :

— Non, Cyril, impossible. C'est moi qui suis Robinson et Vincent qui est Vendredi.

Alors Cyril suppliant :

— *Est-ce que je ne peux pas être Samedi?*

Un lycéen, prénommé Charles, arrive chez lui. Son père qui est marchand de vin dit :

— Viens donc m'aider à descendre un fût de rhum à la cave.

Charles n'a pas du tout envie de travailler.

— C'est lourd, dit-il.

— Mets un tablier, tu auras deux fois plus de force.

Alors, Charles rageur :

— *Mets en deux et fais-le tout seul.*

*
* *

Une petite Sophie avait vu chez un libraire les ouvrages de la comtesse de Ségur.

— *Achète-moi mes malheurs*, dit-elle à sa mère, *je veux les lire.*

Les vrais malheurs font parfois pleurer les jeunes lecteurs. Marion (treize ans) venait de terminer *le Journal* d'Anne Frank :

— ***C'est tellement triste,*** dit-elle, ***que je ne peux pas pleurer!***

Un moutard à qui l'on avait rapporté un livre anglais était lui aussi en larmes :

— ***Il m'arrive un grand malheur,*** disait-il, ***voilà maintenant que je ne sais plus lire.***

Grand-mère raconte l'histoire d'une fée qui tient une baguette à la main.

Un peu plus tard, on demande à Frédéric (quatre ans et demi) :

— Qu'est-ce qu'elle avait dans la main la fée?

— ***Un bâtard.***

A l'école, la maîtresse raconte l'histoire de la chèvre de M. Seguin. Elle dit :

— Ah! M. Seguin n'avait jamais eu de chance avec ses chèvres!

Une voix s'élève :

— ***Il n'avait qu'à s'acheter une girafe?***

*
* *

J'habite dans une commune [1] dont le nom d'Oncy a été récemment transformé en Oncy-sur-École. J'aurais préféré Oncy-les-deux-Écoles

1. Cette commune se trouve dans le département de l'Essonne, près de Milly-la-Forêt.

puisque, outre la rivière l'École, il y a une vraie école (où s'illustrèrent Vincent et Jérôme).

En 1969, deux jumeaux allaient pour la première fois dans ladite école. Fort mécontent, l'un disait à l'autre :

— On m'envoie à l'école, mais moi je ne sais pas compter.

— ***Moi je peux y aller, je sais siffler.***

En revanche, certains enfants rêvent du jour où ils iront en classe. C'était le cas d'une fillette qui, voulant faire la grande, avait inventé ce problème :

— ***Pierre a deux billes. Jean en a beaucoup plus. Combien en ont-ils en tout?***

Une autre petite fille (sept ans) était la dernière d'une famille nombreuse. C'était une « ravisée », comme on dit en Normandie, beaucoup plus jeune que ses frères et sœurs, et fort gâtée par ses parents.

Un jour, elle arrive en hurlant à l'école, et le père essoufflé explique à l'institutrice :

— ***Elle a tout ce qu'elle veut, mais aujourd'hui j'ai dû refuser. Elle voulait mon carnet de chèques.***

Marc (six ans) est allé à l'école sans carnet de chèques. A midi, il explique tout contrit à sa mère :

— Je ne suis pas arrivé à entrer le premier dans la classe, ce matin.

— Mais, mon chéri, cela n'a pas d'importance.

— ***Oh! si : grand-mère m'a dit qu'elle me donnerait une pièce si j'étais le premier en classe.***

Philippe (trois ans) est en larmes parce que

son frère est à l'école. Grand-mère intervient avec un bonbon et les larmes cessent.

— ***Dis, mémère,*** demande Philippe, ***quand j'aura fini le bonbon, je pourra repleurer?***

Marion (quatre ans) n'est pas très satisfaite.

— ***A l'école,*** dit-elle, ***il y a des voyous qui me bousculent et une fille c'est une vraie voyeuse.***

Il y a déjà longtemps que Martine (huit ans) va en classe. Un matin, elle s'aperçoit que sa montre est arrêtée sur sept heures :

— ***Tiens,*** dit-elle, ***elle dort encore.***

La mère de Martine est institutrice. Elle porte des lunettes à verres teintés.

— ***Pourquoi,*** demande Martine, ***as-tu toujours des lunettes scolaires?***

Un petit garçon de six ans prend des leçons de lecture avec une voisine :

— ***Ah! moi, tu sais,*** lui dit-il, ***ça m'est bien égal de ne pas savoir lire. Si j'apprends, c'est pour le côté pratique.***

Un peu penaude, Agnès avoue qu'en classe elle a reçu une claque.

— Pourquoi?

— ***J'arrivais pas à faire marcher les*** i ***sur les traits.***

Pierrot (quatre ans) a, lui aussi, de la peine à écrire droit :

— ***La maîtresse, elle m'a grondé parce que j'écris dans les allées.***

Patrick recopie un huit. Montant péniblement, il amorce la boucle supérieure, cependant que, derrière lui, Philippe conseille :

— *Allez, braque maintenant, braque.*

Bruno (sept ans) a mal travaillé. Il doit redoubler et sa mère lui fait des reproches :

— *Tu sais,* dit Bruno, *je ne suis pas le seul. Le maître aussi, il la redouble sa classe.*

Le père d'un Dominique de six ans est tout aussi mécontent :

— Alors toujours pareil ce carnet de notes! Deux en conduite, deux en travail.

— *Ben, papa,* dit Dominique, *c'est pas de ma faute. C'est pas moi qui donne les notes.*

*
* *

Paul dit à sa mère :

— Je voudrais bien une petite chèvre qui mange des chardons. C'est gentil.

— Oui, mais quand elle grandit, la chèvre donne des coups de corne.

— *Alors, je la laisserai toujours jeune.*

Nicolas (quatre ans) a vu une grosse araignée.

— Tu n'as pas eu peur? lui demande-t-on.

— *Non, elle était attachée par une ficelle.*

Anne (cinq ans) voit passer un camion chargé de caisses contenant toutes des lapins.

— Qu'est-ce que c'est? demande-t-elle.

Et, comme on ne lui répond pas, elle dit :

— *Je crois que j'ai compris. Ce sont des colonies de vacances de lapins qui déménagent.*

Une petite Belge montrait son chandail vert à une de ses camarades :

— Je ne comprends pas, disait-elle, les moutons sont blancs et moi j'ai ça.

— ***Moi, je sais,*** répond l'autre, ***on met d'abord les moutons en couleur et après on les tond.***

Croisant un troupeau de moutons, dans un chemin boueux, un petit Ariégeois demande :

— ***Dis, papa, les agneaux ils font « béé » parce que c'est sale par terre?***

Un garçon de sept ans est parti à la recherche de grillons. Au bout d'un moment, il revient et explique d'un air consterné :

— ***J'entends bien des grillons, mais quand je m'approche, ce sont des sauterelles qui font semblant de chanter comme des grillons.***

Bruno a attrapé un joli papillon bleu. Hélas! Bruno est un brise-fer et, dans sa menotte, il ne reste bientôt plus qu'un peu de poussière argentée.

— Pourquoi as-tu tué ce joli papillon? demande maman.

— ***Oh!*** dit Bruno sincèrement désolé, ***je t'assure, il n'était pas solide.***

Un autre moutard demande à sa sœur :

— Tu sais ce que c'est qu'une limace?

— ***Oui, c'est un escargot qui a eu très peur et qui a perdu sa coquille.***

*
* *

Si l'on organisait un référendum pour savoir quel est l'animal préféré des enfants, je crois que le chien viendrait en tête.

Voyant pour la première fois un teckel, une petite fille s'écrie :

— *Oh! le petit chien qui a grandi sous une armoire!*

David (quatre ans) admire un bouledogue :

— *Regarde, maman, comme ce chien est beau. Il est habillé tout en daim.*

Au cours d'une promenade, Laurent aperçoit un dalmatien :

— *Ce chien a la varicelle,* dit-il.

Grand ami des chiens, un petit garçon s'enquiert :

— *Est-ce que je peux avoir la permission d'aller visiter une exposition de canines?*

Allons au zoo et revenons-en avec des perles. D'abord celle d'un Christophe de trois ans qui explique :

— *J'ai vu un gros codile et un petit codile.*

Un autre moutard affirme :

— *J'ai entendu les lions rougir.*

Et Laurent explique :

— *Un tigre, c'est comme une panthère avec des vermicelles sur le dos.*

Marie-Jo (quatre ans) visite la ménagerie d'un cirque.

— Regarde le loup, dit grand-mère.

— *Peuh!* répond Marie-Jo, *il n'y a même pas de chaperon rouge.*

Hélène (sept ans) regarde passer une cane de Barbarie.

— Ça, dit-elle, c'est une vieille mémère. Elle a perdu son mari.

— Comment le sais-tu?

— ***Parce qu'elle a des bas noirs.***

Jean (dix ans) voit une paysanne qui plume un poulet :

— ***Dites, madame,*** demande-t-il, ***est-ce que vous les déshabillez tous les soirs pour les mettre au lit?***

Franck (trois ans) a trouvé une plume par terre :

— ***Regarde, papa, une feuille de poule.***

Philippe (huit ans) est entré dans le poulailler et une poule, furieuse d'être dérangée, se met à glousser.

— ***Écoute, maman,*** dit Philippe, ***la poule qui roule les* r.**

Pupu (six ans) ramasse les œufs avec sa grand-mère. Dans certains nids, il y a un nichet, œuf en plâtre destiné à attirer là les pondeuses.

— ***Dis, grand-mère,*** demande Pupu, ***l'œuf en plâtre, c'est pour qu'elles prennent la mesure?***

Marie-Laurence (cinq ans) vient de se réveiller :

— ***Maman,*** dit-elle, ***tu ne sais pas ce que j'ai rêvé? Que les vaches faisaient du vin.***

Les vaches me rappellent un étonnant gamin dont j'eus à m'occuper, lorsque j'étais moniteur de colonie de vacances, à Cenon, près de Bordeaux. Il s'appelait Jackie, mais on l'avait surnommé le Buffle.

Il devait avoir six ou sept ans quand il alla passer quelques jours à la campagne. Il en revint furieux, expliquant :

— ***On m'a envoyé garder les vaches, mais c'est elles qui me ramenaient.***

*
* *

Dans le désordre d'un départ en vacances, Denis (cinq ans) s'était emparé d'un objet en ouate, strictement réservé aux dames et grâce auquel, selon la publicité, « il n'y a plus de mauvais jours ».

— Qu'est-ce que c'est, maman?

Surprise et déconcertée, maman répond :

— Ce n'est pas pour les enfants.

Alors Denis, radieux, brandissant la chose, bondit vers sa grand-mère :

— *Mamy, regarde, j'ai trouvé le rectangle blanc.*

Le carré rectangulaire, comme disait une brave dame, est parfois utilisé de façon un peu étrange par les responsables de la télévision. En tout cas, cette grand-mère estimait qu'Hélène (neuf ans) pouvait très bien voir un certain film de Sacha Guitry auquel quelques allusions égrillardes avaient valu le fameux rectangle.

A vrai dire, Hélène était en éveil, essayant justement de saisir ce qu'elle appelait « les inconvenances ».

— *Ça y est*, s'écria-t-elle soudain, *j'ai compris pourquoi il y a le rectangle blanc! C'est parce qu'il dit : « Nom de Dieu de nom de Dieu. »*

Les enfants, et je suis un peu comme eux, cherchent souvent à comprendre de quelle manière arrivent les images.

— *Je me demande*, écrit un élève de cinquième,

comment tant de belles images peuvent passer seulement dans de tout petits fils électriques, car les images sont grosses et la voix aussi passe et c'est un vrai mystère.

Moindres mystères et vite élucidés, les questions posées aux concurrents des jeux télévisés.

Regardant une de ces émissions, Véronique (huit ans) prétendait répondre à la question : « Quelle phrase prononça l'assassin de Jules César? »

— ***Je sais! je sais! Il a dit : « César, ouvre-toi! »***

De quoi faire se retourner Ali Baba dans sa tombe. Ali Baba qui, selon un jeune garçon, avait dit :

— ***Cézanne, ouvre-toi.***

Enfin une émission qui est vraiment pour les enfants. Un moutard de quatre ans appelle :

— ***Sylvie, viens vite voir la télé. Ce sont les petits saints animés.***

Tandis que Laurent (deux ans et demi) dit :

— ***Je veux voir les dessins allumés.***

Isabelle voit à la télé le pape coiffé de sa tiare. Elle dit :

— ***Le monsieur, il a pas été sage, il est puni. Il a le bonnet d'âne.***

Sylvie (huit ans) a vu un film sur sainte Thérèse de l'Enfant Jésus. Elle en parle à sa grand-mère :

— Tu sais pourquoi sainte Thérèse est une vraie sainte?

— Non.

— ***Parce qu'elle a sauvé le caramel.***

En république de Côte-d'Ivoire, on apprend que

les trois cosmonautes américains effectuent leur dernière révolution autour de la Lune. Aminata (huit ans) demande alors à son père :

— ***Comment font-ils pour dresser leurs barricades?***

Revenons en France où la radio donne *la Dame aux Camélias.* Très émue, Ghislaine (cinq ans) se précipite vers sa grand-mère :

— ***Vite, mamie, mets vite un cachet dans le poste. Elle ne mourra pas la dame.***

Toujours à la radio, un présentateur annonce *Mon p'tit bout de chou,* une chanson de Sacha Distel. Nathalie (deux ans et demi) se précipite vers le poste et dit d'un air charmé :

— ***Je suis là!***

Les enfants font parfois part des nouvelles à leurs parents :

— ***Hier dans le Sud-Ouest de la France, il y a eu des tremblements de cimetière.***

— ***Aux Jeux Olympiques, les fleuristes français ont eu une médaille d'or.***

Un jeune garçon est bouleversé :

— ***Maman, Mireille Mathieu a eu deux entrecôtes cassées.***

Papa écoute la radio avec Igor (six ans) :

— Ce morceau de violoncelle, c'est joli, n'est-ce pas?

— ***Et,*** demande Igor, ***un morceau de violon-sucre c'est joli aussi?***

Antoine (quatre ans) a vu un hydravion dans *les Chevaliers du ciel.* Il explique :

— ***J'ai vu un avion qui se lave.***

Un jeune Joël m'a raconté qu'un jour, en

famille, il avait regardé une pièce de théâtre.

— C'était vraiment une belle pièce, dit quelqu'un.

Et Joël :

— ***Oui, avec de beaux fauteuils.***

*
* *

Parfois, les réflexions des enfants sont pleines de sagesse. Quelque temps après la mort de son mari, on revit Anne-Marie Peysson à la télévision, présentant un gala.

— Quand même elle pourrait s'habiller plus long, dit quelqu'un.

Et Sylvie de répondre avec toute l'expérience de ses six ans :

— ***Si elle montre ses cuisses, c'est peut-être pour cacher son chagrin.***

Autre histoire plus ancienne et datant d'une époque où l'on faisait porter le deuil aux enfants. Brigitte (quatre ans) avait accompagné sa mère chez une dame qui offre une boîte de chocolats, au milieu de laquelle trône un énorme fondant au rose agressif.

Arrive le tour de Brigitte qui hésite un instant, puis s'écrie :

— ***Tant pis que je soye en deuil, je prends le rose.***

Revenons de nos jours et écoutons à nouveau la radio. Comme tous les dimanches soirs, un reporter fait le bilan du week-end :

— Il y a eu encore soixante morts sur les routes.

Un petit Jérôme (pas le mien) demande :

—***Maman, pourquoi ils vont toujours sur les routes, les morts?***

Et la Lune dans leur poche

Les enfants sont rarement surpris par les prodiges de la technique. Au moment où les premiers hommes mirent le pied sur la Lune, Christine (dix ans) disait fort justement à sa mère :

— *Toi, ça t'épate la Lune. Pas moi. J'en entends parler depuis que je suis toute petite. Alors que toi, quand tu étais petite, on n'en parlait pas.*

Dans *le Livre d'Or des mots d'enfants*, j'ai raconté l'histoire d'une Béatrice de quatre ans demandant :

— *Dis, maman, l'avion, quand il monte dans le ciel, il devient tout petit... Mais alors, les gens qui sont dedans, ils deviennent tout petits aussi?*

Or cette réflexion parut tout à fait normale au jeune voisin d'une de mes lectrices :

— *Bien sûr qu'ils deviennent petits*, lui dit-il, *sans ça ils pourraient plus sortir.*

Béatrice, une jeune Parisienne de sept ans, avait peur des avions à réaction qui volaient au-dessus de la campagne normande.

— *Maman*, raconte-t-elle, *un avion a écrasé une*

maison et un autre s'est posé sur le mur du son.

Un avion à réaction laisse dans le ciel un long sillage blanc. Stéphane (quatre ans) s'exclame :

— ***Mais qu'est-ce qu'il fait cet avion? Il se fabrique une corde pour s'attacher au Soleil.***

Dans les magasins, les enfants croient que l'on peut acheter n'importe quoi. A Milly-la-Forêt, un petit garçon demandait à une droguiste :

— ***Je voudrais des bougies, dont une avec la mèche en dessous pour l'éclairage indirect.***

Dans une autre boutique, Bertrand (dix ans) s'enquiert :

— Vous avez des drapeaux français?

— Oui.

— ***Vous en avez de plusieurs couleurs?***

Certaines épiceries de campagne vendent de la bonneterie. Une fillette d'une huitaine d'années dit :

— Je voudrais une culotte pour ma maman.

— Quelle taille?

— ***Trente-deux ans.***

Une institutrice belge explique à ses élèves, gravures à l'appui, que le soir des batailles, Jules César écrivait sur des tablettes de cire. Lorette demande :

— ***Il faisait la liste des présences?***

Lisette croyait que, pour connaître le vainqueur des batailles, on comptait les morts de chaque côté. Mais elle était quand même perplexe, car elle ignorait ***si les combattants étaient égaux en nombre au départ.***

Un petit garçon rentre de l'école et raconte :

— *Maman, le maître nous a dit qu'il pratique les crimes.*

Sans doute, parce que l'escrime ne paie pas!

En tout cas, rien vraiment ne semble impossible aux enfants, même pas à celui-ci qui annonçait un jour :

— *Je vais me déguiser en agent secret.*

*
* *

Un petit Frédéric disait à son frère Olivier :

— *Toi et moi, on a de la chance notre maman a beaucoup d'intestin maternel.*

Sylvie (sept ans) est en vacances. Elle regrette que son père travaille et ne puisse la conduire tous les jours à la mer.

— *Pourquoi,* demande-t-elle, *maman elle se marie pas encore une fois? Comme cela, j'aurais deux papas. Celui-là on l'enverrait travailler et avec l'autre on irait à la mer tous les jours.*

Ita (sept ans aussi) voyait encore plus grand et conseillait à sa mère récemment divorcée :

— *Puisque tu ne veux pas d'un ami, prends-en plusieurs. Un qui s'occuperait de moi, un qui s'occuperait de ma sœur et un troisième qui serait ton chouchou et qui te dorloterait.*

Au mariage de sa tante, une petite fille de trois ans avait été placée devant les futurs époux. A la fin de la cérémonie, l'enfant demande à sa mère :

— C'était pareil pour ton mariage?

— Mais oui.

— *Eh bien, je me rappelle pas que j'étais devant.*

La liste des oncles, des tantes, des grands-parents est parfois difficile à assimiler et bien des enfants se perdent dans les parentés. Colette (quatre ans) disait :

— *Il y a l'oncle Pierre, l'oncle Jean, l'oncle Paul, l'oncle Simon, l'oncle Jean-Marie et l'oncle papa.*

Cathy a été en vacances chez sa grand-mère. Au retour, une amie lui demande :

— C'est ta grand-mère paternelle ou maternelle?

— *Mais non! C'est ma grand-mère couturière.*

Couturière ou non, c'est une chance pour les enfants que d'avoir leurs grands-parents. Colette (sept ans) entend son grand-père dire :

— J'ai quatre-vingt-trois ans.

— *Ça n'est pas vrai,* rectifie-t-elle. *Ces années-là, tu ne les as plus.*

Pierrot demande à sa grand-mère :

— Tu sais bien courir encore avec tes jambes?

— Oh! non, mon petit, j'ai quatre-vingts ans.

— *Oui, mais tes jambes sont bien plus jeunes. Elles n'ont que quarante ans chacune.*

Un jeune garçon collectionnait les porte-clefs. Avisant la montre de sa grand-mère, au bout d'une chaîne, il s'écrie :

— *Hé, dis donc, je ne l'ai pas celui-là?*

L'arrière-grand-mère de Sylvie (sept ans) a des plis sous le menton.

— *C'est parce que tu es vieille que tu te dégonfles?* demande Sylvie.

Cette même aïeule vient tous les ans chez les parents de Sylvie. Elle reste quelques mois et, chaque fois, elle dit que c'est la dernière fois, car à son âge... quatre-vingt-un ans.

— ***Bon***, dit Sylvie, ***tu repars, on vient te voir aux vacances et après, cette fois, tu meurs.***

Christine (quatre ans) a un arrière-grand-père de quatre-vingt-six ans. Un jour, elle refuse de l'embrasser.

— Pourquoi? demande maman.

— ***J'ai bien trop peur d'attraper sa vieillesse.***

De nouveau Sylvie. Elle regarde une photo de son père à l'âge de cinq ans. Étonnée de lui voir une abondante chevelure, elle dit :

— C'est pas lui, ce petit garçon, il a des cheveux.

Un moment après, elle va trouver sa grand-mère et s'enquiert :

— ***Tu savais toi, mamy, que papa il avait des cheveux quand il était jeune?***

Une autre Sylvie (quatre ans) voit un monsieur chauve, mais au menton orné d'une grande barbe.

— ***Dis, maman***, demande-t-elle, ***pourquoi le monsieur il a mis tous ses cheveux à son cou?***

Parlant d'un médecin non moins chauve, un moutard de trois ans déclarait :

— ***J'aime pas celui qu'a les cheveux tout crevés.***

Plus encourageant, Laurent (quatre ans) disait :

— ***Tu verras, papa, tu en auras des cheveux, quand tu seras jeune.***

Françoise (trois ans) a vu son père torse nu. Elle raconte :

— *Oh! moi, j'ai vu papa tout en ventre et tout en dos.*

Paul a une maman, disons très très grassouillette. La voyant un jour monter courageusement sur une bascule, il s'écrie d'un air ravi :

— *Dans tout le quartier, c'est moi le petit garçon qui a le plus de maman.*

Françoise (sept ans) est elle aussi fort rondelette et, dans sa famille, on la taquine souvent à ce sujet. Un jour, dans un musée, Françoise voit un squelette. Elle le montre à son frère et dit :

— *Ce n'est tout de même pas beau d'être aussi maigre!*

***

L'hygiène n'est pas facile à enseigner aux enfants. La mère d'un Bruno de treize ans lui dit :

— Si tu avais un accident et qu'on t'emmène en clinique, songe combien j'aurais honte.

— *T'inquiète pas, maman, j'ai pas de carte d'identité sur moi.*

Un moutard disait à sa mère :

— *Je veux bien que tu me débarbouilles, mais pas avec de l'eau mouillée.*

Vêtu d'un magnifique costume blanc, ce petit garçon de deux ans et demi est sur le point de sortir avec sa mère. Il a soif, il boit et renverse son verre, tachant copieusement son costume.

— Je ne sais pas ce que je te ferai! dit maman furieuse.

Et entre deux sanglots, l'enfant suggère :

— ***Eh bien, fais-moi des frites.***

Les leçons de politesse sont souvent nécessaires. Une dame, accompagnée de sa fille Dominique (trois ans), rencontre une amie.

— Dis bonjour à la dame, allons.

— ***Je ne peux pas***, répond Dominique, ***tu sais bien que je suis timide.***

Pas timide du tout une petite fille de quatre ans et demi, en vacances aux sports d'hiver, raconte :

— Le moniteur est très gentil, très mignon. Il m'a fait la cour.

— Oh! Oh!

— ***Oui, la cour, c'est bien comme ça qu'on dit quand un monsieur parle longtemps à une demoiselle?***

Avant d'emmener Luc (quatre ans) en visite chez des amies, maman lui a fait la leçon :

— Tu ne dois surtout pas demander à manger.

La visite se prolonge. Il est cinq heures et Luc dit :

— ***Tu vois, maman, j'ai faim mais je ne demande rien.***

Un Jérôme de quatre ans (pas le mien) savait qu'il ne devait pas faire de réflexions désobligeantes sur les gens. Un jour, dans l'autobus, il voit en face de lui une jeune femme outrageusement maquillée. Il la regarde longuement, puis dit :

— ***Maman, sur celle-là, on parlera plus tard.***

Philippe (même âge) est passionné de mécanique et d'autos. Voyant un couple s'embrasser à bouche que veux-tu, il s'écrie :

— *Ça, maman, c'est de l'amour plein gaz!*

Marie-Béatrice (cinq ans) se promène avec son frère. Passe un unijambiste :

— *Regarde le monsieur*, dit Marie-Béatrice, *il a une jambe en pied et une autre en bois.*

Un autre monsieur a une barbiche et il revient du marché où il a acheté des choux.

— Tu vois, dit Thierry à son cousin (six ans), il ressemble à mon prof d'histoire. Il a un bouc.

— *Comment tu le sais? Les choux c'est peut-être pour sa mère.*

Dans la rue, on ne fait pas que de bonnes rencontres.

— Ne va pas dans ce terrain vague, disait-on à Fabienne (quatre ans), il y a des rôdeurs.

— *Ah! Et qu'est-ce qu'il fait un rôdeur? Il rôde les petites filles.*

*
* *

Les questions des enfants sont toujours pleines d'imprévu. Une nuit, Sylvie appelle sa mère et, encore à moitié endormie, elle demande :

— *Maman, comment on fait pour changer de rêve?*

Autres questions jaillies d'un peu partout :

Jean-Loup (dix ans). — *Les plumes des Indiens, quand on les coupe, est-ce que ça repousse?*

Didine. — *Dis, papa, quand t'étais aspirant c'était pour aspirer.*

Thierry (quatre ans). — ***Mon oncle, quel âge tu avais à mon âge?***

Une fillette de huit ans. — ***La politique c'est quand on est polis?***

Un garçon de six ans. — ***Comment la terre peut tourner avec tout ce qu'il y a dessus?***

Un garçon de quatre ans. — ***Comment font les branches pour monter sur les arbres?***

Un autre petit garçon s'est acheté un pistolet à plombs. Il demande :

— ***Est-ce qu'ils sont en fer les plombs?***

Parfois les raisonnements se compliquent. Sylvie (trois ans) désigne sa cheville :

— ***Qu'est-ce c'est ça? Un os. On a des os dans les pieds. Oui. Tout le monde a des os. Oui. Même les chiens ont des os. Même les éléphants ont des os. Oui, bien sûr. Et la table elle a des os. Mais non, voyons. Alors, pourquoi elle a des pieds?***

Christiane (cinq ans) se fait expliquer ce que sont les allocations familiales. Après quoi, elle réclame l'argent desdites allocations, arguant :

— ***C'est bien moi l'enfant dans cette famille.***

Philippe (deux ans et demi) regarde son père vérifier le niveau d'huile de l'auto.

— Qu'est-ce que tu fais, papa? demande-t-il.

— Tu vois, je mets de l'huile dans le moteur.

— ***Et le vinaigre, où tu l'as mis?***

Il arrive que les enfants aient le sens du management. Nathalie (huit ans) regardait sa mère qui faisait durcir des œufs dans une casserole d'eau bouillante.

— ***Mais, maman,*** dit-elle soudain, ***pourquoi on***

fait pas nager les poules dans l'eau chaude? Comme ça, elles pondraient des œufs durs et ça faciliterait ton travail.

Certaines questions sont embarrassantes.

Annette (quinze ans) demande à son père :

— Adultère, c'est une femme qui tue son mari?

— A peu près, dit papa.

— ***Alors,*** intervient Dominique (douze ans), ***elle le tue à moitié?***

Mais la question la plus imprévue est peut-être celle que Jean-Paul (cinq ans) posa à son père, Paul Frankeur. Passant devant un cimetière, il demanda :

— ***Les gens qui sont ici, ils rêvent encore?***

*
* *

Après les questions, les réponses. On demandait à un petit garçon de sept ans :

— Qui est Tartempion?

— ***C'est l'inventeur des surnoms,*** répondit-il.

On parle des chiens policiers et Pierre (six ans) explique :

— ***C'est un chien qui renifle et qui sait où ça va.***

Un Belge disait à ses enfants :

— Savez-vous ce que c'est que la métempsycose?

— C'est la maladie des souris, répond Annette (quatorze ans).

— ***Mais non,*** dit Dominique (douze ans), ***c'est la maladie des perroquets*** [1].

Papa demande à Cathy (trois ans) :

— Et l'heure, à quoi ça sert?

— ***Ça sert à savoir quelle heure il est, quand la montre est arrêtée.***

Un garçon de quatre ans avait bousculé un copain :

— Ne pousse pas comme ça, lui dit-on.

— ***Alors, pourquoi ça s'appelle un pouce?***

Réponse pleine de logique, qualité dont chacun sait qu'elle est souvent le fort des enfants. C'était le cas de Philippe. Un jour où il crie en montant l'escalier, sa mère lui demande de se taire, car la petite voisine qui a trois ans se moquerait de lui et dirait : « Quel énergumène! »

Philippe répond :

— C'est pas possible.

— Et pourquoi ce n'est pas possible?

— ***Parce qu'elle ne connaît pas des mots comme ça, elle est trop petite.***

Le jour de ses sept ans, Mireille demande à son frère Marc :

— Quand on a sept ans, on a bien l'âge de raison?

— Oui.

1. *L'Action laïque* (novembre 1964) a cité la réponse d'un élève français à la même question :

La métempsycose est la théorie qui croit que l'homme imparfait doit faire des stages de rééducation dans le singe, la vache ou le cochon.

— *Alors, quand on ne sera pas d'accord, c'est moi qui aurai toujours raison?*

Colette (quatre ans) n'était pas d'accord avec le mot soutien-gorge.

— *Maman,* dit-elle, *ta gorge est bien plus haut. Moi je dirais un presse-cœur.*

Alors que Didier (huit ans) déclarait à sa mère :

— Toi, maman, tu es rustique.

— Ah! pourquoi? dit maman, d'autant plus surprise qu'elle est une jeune femme élégante et dans le vent.

— *Ben, parce que tu aimes les vieilles choses.*

Le même Didier demandait à sa mère si elle aimait faire les courses dans les magasins.

— Ah! non, j'ai horreur de ça!

— *Ben, pour une femme, t'es bien un garçon.*

Jean-Patrick (dix ans), le frère de Didier, joue avec le collier de perles maternel.

— *Dis, maman,* interroge-t-il, *ce sont des perles de cultivateur?*

*
* *

Cette petite fille de cinq ans pèse cinquante-deux livres, alors que sa jeune tante pèse cinquante-deux kilos.

En entendant annoncer le résultat de la pesée, la fillette se met à pleurer à chaudes larmes :

— *Je veux des kilos aussi, moi,* dit-elle.

Si certains enfants se complaisent dans leur état de bébé, d'autres souffrent de ne pas être grands, de ne pas déjà tout savoir.

Plus optimiste, un petit garçon expliquait à ses parents :

— ***Ce n'est pas la peine que j'apprenne à lire, puisque je saurai quand je serai grand.***

Les réflexions des enfants ne sont pas toujours faciles à comprendre. En 1913, Jean (six ans), à qui l'on demandait ce qu'il ferait lorsqu'il serait grand, répondit :

— ***Je veux être ganache.***

Stupeur de la famille, jusqu'au moment où l'on se souvient d'un jeune homme qui passait tous les jours sur une motocyclette pétaradante, aussi célèbre dans le quartier que les frasques du jeune homme. Ce qui avait fait dire un jour au père de Jean : « Quelle ganache! »

Autres enfants, autres projets.

— Moi, quand je serai grand, je serai boucher.

— Moi, pâtissier.

— ***Eh ben, moi,*** dit Claude (six ans), ***je serai le client.***

Encore plus malin, Olivier (trois ans et demi) dit à son père :

— ***Je voudrais être grand pour travailler et me faire inscrire au chômage.***

Émile-Robert (sept ans) est passionné de préhistoire. A sa grand-mère qui lui demande ce qu'il fera plus tard, il répond :

— ***Je veux être trouveur de dinosaures.***

*
* *

Lorsqu'ils parlent entre eux ou avec leurs parents, les enfants font des perles dont il est amusant de rechercher l'origine. Une petite Corinne criait parfois : « *Bravo, Simone* ». Comme elle n'avait pas d'amie de ce nom, on finit par comprendre qu'elle voulait dire « bravissimo ».

Autres perles en vrac :

Isabelle (cinq ans). — *Papa a sommeil. Il ferme ses paupiettes.*

Un petit garçon. — *Maman, il ose les épaules.*

Une grande fille. — *A l'enterrement de mon grand-père, j'avais une myrtille sur la tête.*

Une petite Canadienne, à la veille du printemps. — *Ce sera bientôt la fondation des neiges.*

Un garçon de six ans, voyant monter un contrôleur dans le tramway. — *Maman, voilà le contre-voleur.*

Philippe. — *Pour mieux entendre, le professeur Tournesol utilise un cornet à moustiques.*

Un garçon de neuf ans. — *J'ai bu un escrime-soda.*

Monique (trois ans et demi). — *Maman a fait cuire la soupe dans la poule-minute.*

La même. — *Maman a remonté le réveil hier soir. Ce matin, il est redescendu, il m'a réveillé.*

Un garçon. — *J'ai été camper avec mon sac d'accouchement.*

Marie-Dominique (douze ans). — *Je passe de justice entre la table et le frigo.*

Sophie (cinq ans) dont la marraine habite à Gif-sur-Yvette. — *Alors, papa, on y va quand à Gifles-Souris-Verte?*

Françoise (douze ans). — *Notre grand-père nous aimait bien, c'était peut-être parce qu'il n'avait pas eu d'enfants.*

Un garçon à un autre. — *Non, c'est mon papa qui est le plus grand. D'abord même, il est capitaine au long cou.*

Un jeune garçon. — *Moi, tous les soirs, je fais ma gymnastique matinale.*

Un autre. — *Moi, j'ai des jambes comme on n'en voit pas deux.*

Pascal. — *Si tu m'embêtes, je vais me vendanger sur ton frère.*

Nicole (seize ans). — *Il est borné. Il a des ornières comme une mule.*

Sans oublier ce dialogue qu'Alphonse Allais, inventeur de la tasse avec anse à gauche pour gauchers, aurait apprécié :

Romuald (cinq ans). — *Philippe a une tasse avec la poignée à gauche parce qu'il est gaucher. Moi, j'ai la même avec la poignée à droite parce que je suis droitier.*

Philippe (quatorze ans). — *Idiot, j'ai la même tasse que toi et, si l'anse est à gauche, c'est parce que je l'ai tournée.*

Romuald. — *Alors si je tourne ma tasse, je deviendrai gaucher?*

Anne-Stéphane (trois ans). — *Moi, je prends pas ma tasse par la poignée, alors je vais devenir manchot!*

*
* *

A table! Joie pour les gourmands, mais pas pour ceux qui, comme mon Jérôme de fils, détestent manger.

Car, à quinze ans, Jérôme traîne encore pour finir sa soupe.

Une petite Nathalie ne mangeait guère plus vite.

— Dépêche-toi, dit maman, c'est Renaud qui aura fini le premier.

— ***Oh! tu sais, il sera le premier, mais moi je serai la première.***

En revanche, Didier (deux ans et demi) a fini — ô miracle — sa soupe avant ses frères et sœurs. Triomphant, il s'exclame :

— ***J'ai fini avant le premier!***

Un professeur de faculté m'a raconté que, lorsqu'il était petit, il déjeunait un jour chez des amis.

— Aujourd'hui, lui dit la maîtresse de maison, il y a des pommes de terre en robe de chambre. Tu aimes ça?

— ***Je ne sais pas. Les pommes de terre, chez nous, on les mange toujours toutes nues.***

Nicole (quatre ans) se réjouit de manger des cerises, mais elles sont en bocal et la petite fille fait la moue :

— ***Je les voudrais vivantes.***

Malgré le bon exemple de Popeye, les épinards sont rarement appréciés des jeunes convives. Hervé (cinq ans) avait mangé ceux du jardin de sa grand-mère, mais le lendemain, en revenant de l'école, il dit :

— *J'ai donné deux coups de poing à un copain. Il ne s'est pas envolé. La prochaine fois, faudra acheter des épinards en boîte.*

Un petit Jean-Charles de trois ans n'était pas du tout sage. A force de chahuter, il renverse son verre de limonade sur la table.

— Toi, s'écrie maman, tu manges comme un cochon.

A la stupeur générale, le coupable, qui est pourtant un dur, un terrible, fond en larmes. Maman le console et demande :

— Pourquoi pleures-tu?

Et, entre deux sanglots, il explique :

— *Je veux pas aller à l'abattoir.*

Véronique (cinq ans) déjeune à la cantine et la maîtresse l'a déjà réprimandée plusieurs fois de suite. Alors Véronique furieuse :

— *Eh bien, non, si tu n'es pas gentille, on viendra plus à ton école.*

Jean, un petit Namurois de six ans, a été privé de fraises à la crème, il regarde le reste de la famille se servir de dessert, puis il dit d'un air rêveur :

— *Je pense à une histoire bien triste : un petit garçon qui n'avait pas eu de fraises et le lendemain il était mort.*

Le grand frère de Pascal explique :

— Au service militaire, les pommes de terre sont mal épluchées, la viande est trop grasse, les légumes mal cuits...

Pascal écoute ces plaintes, puis demande :

— ***C'est pas bon, mais est-ce qu'il faut l'aimer quand même?***

Jérôme en a-t-il entendu des discours sur les petits Chinois, les petits Biafrais et sur l'époque de la guerre 1939-1945 où l'on avait si peu à manger. En vain d'ailleurs, et je suis sûr qu'à part lui Jérôme pensait : « C'était le bon temps. »

Émule de Jérôme, un petit garçon faisait la grimace devant un plat de choux.

— ***Mange donc,*** lui dit sa sœur, ***ça n'a pas le goût de l'odeur.***

Julien (cinq ans) scande :

— De l'eau, maman, de l'eau, maman...

Très à cheval sur la politesse, maman demande d'un air sévère :

— De l'eau comment?

— ***De l'eau pas trop fraîche parce que j'ai mal à la gorge.***

Papa explique à son fils (quatre ans) qu'il doit manger avec la main droite.

— ***Mais, papa, la gauche va pleurer si c'est toujours la droite qui mange.***

Papa a mal à la tête. Il se lève de table :

— Je ne suis pas dans mon assiette, je vais me coucher.

Le lendemain, Sylviane ne veut pas boire son lait.

— ***Je ne suis pas dans mon bol,*** dit-elle.

Dany (cinq ans) prend tous les matins du lait avec de la chicorée. Un grain échappé à la passoire flotte dans la tasse.

— ***Maman, viens vite, vite,*** crie Dany, ***j'ai fait tomber mon grain de beauté dans mon lait.***

Les enfants ont parfois des idées curieuses. Tel celui-ci qui mettait du beurre dans les trous du gruyère.

— Pourquoi fais-tu cela? lui demanda-t-on.

— ***Pour manger les trous.***

La maman d'une Marie-Hélène de deux ans et demi est malade et ne peut se charger de la cuisine, comme elle en a l'habitude. Elle prie donc la bonne de faire cuire un œuf sur le plat pour Marie-Hélène.

Celle-ci a entendu et, d'un air sentencieux, elle va demander à la bonne :

— ***D'abord est-ce que tu sais faire un œuf sur le plat? Parce que je vais te dire : maman me met toujours le jaune au milieu et le blanc autour.***

Très gourmande, Annie (quatre ans) raffole des pâtes de fruit. C'est pourquoi le grand sac qu'on lui a offert est bientôt vide.

— Oh! Annie, s'écrie maman, tu as tout mangé d'un coup!

— ***Mais non, maman,*** dit Annie indignée, ***j'en ai mangé une, pis une.***

Une autre Annie est encore plus indignée. Elle dit à sa cousine Dany :

— On fait quand même de la réclame avec n'importe quoi! Parce qu'elle a empoisonné un tas de gens, on a donné son nom à des champignons qui ne sont pas vénéneux, bien sûr.

— Mais de qui parles-tu?

Alors, Annie montrant une boîte de champignons « Lutèce » :

— *Tu ne vas pas me dire que tu ne connais pas Lutèce Borgia!*

Sur une boîte de conserves de poisson, il y a une tête de marin fumant la pipe.

— *Si je comprends bien, maman,* dit Vincent (trois ans), *ce soir, on mange de l'homme.*

Mais la palme de l'humour noir revient à Gisèle (quatre ans) qui raconte à son institutrice :

— *On a mangé une poule au dîner, on a jeté les os dehors. Le coq se crevait de rire en les mangeant.*

La tante d'une Odile de cinq ans a l'habitude de ne jamais finir un dessert et de toujours laisser la part du pauvre. Un jour d'été, à l'heure de la sieste, Odile vient se coucher à côté de sa tante qui est tout au bord du lit. Et, comme Odile se met tout contre le mur, il reste un espace vide.

— *Tu vois,* dit la petite fille, *il y a juste la part du pauvre.*

Les gentils biotiques

CHRISTIAN NOHEL m'a raconté qu'un jeune garçon voulait un jour lui vendre « des timbres antituberculeux ».

— Ça sert à quoi? demanda-t-il.

— *Ben*, dit le moutard, *si tu achètes, tu attrapes pas la tuberculose.*

Une dame se plaignait d'une angine rouge.

— *Pourquoi*, demande Béatrice (sept ans), *que t'as été chez les Peaux Rouges? Tu pouvais pas attraper la grippe comme tout le monde?*

Une petite fille de quatre ans voulait voir un de ses camarades :

— Il est dans le plâtre, lui dit-on, je vais t'accompagner.

— *Ce n'est pas la peine. Vous n'avez qu'à me dire dans quel mur il est.*

Beaucoup d'enfants adorent jouer au docteur et font parfois subir les pires supplices à leurs poupées.

Denise (cinq ans) explique :

— Ma poupée est malade, elle a quarante de fièvre.

Puis après un moment de réflexion :

— ***Je vais la mettre au frais.***

Une mère avait retrouvé au fond d'une armoire une poupée dont la jambe était cassée.

— Je vais la jeter, dit-elle à Sylvie (cinq ans).

— ***Non, maman, on pourrait jouer à la marelle avec.***

J'ignore si c'est en jouant à la marelle, en tout cas, Jean-Louis a reçu un coup de pied de son frère (huit ans). Se tenant la jambe, il lui dit :

— Tu aurais pu me casser le tibia.

— ***Le tibia, c'est pas possible. C'est en mangeant de la viande qu'on attrape le tibia.***

Un de mes amis avait mal aux épaules. Son fils, Didier (trois ans) demanda :

— ***Papa, t'as bobo à tes ailes?***

Guy, un petit Belge de trois ans, disait à son père :

— ***Je voudrais ouvrir mon ventre pour voir ma chaîne.***

Catherine (deux ans) s'est coupé le doigt. Voyant perler une goutte de sang, elle s'écrie :

— ***Oh! t'as vu la petite coccinelle?***

Les enfants parlent volontiers de leurs maladies ou de leurs accidents :

Un footballeur de huit ans. — ***Je me suis éborgné le pied contre un caillou.***

Isabelle (treize ans). — ***J'ai un ongle réincarné.***

Daniel (onze ans). — ***J'ai eu une infusion intestinale.***

— Pourquoi gardes-tu les dents qui te sont tombées? demande-t-on à une toute petite fille :

— ***Parce que, quand je serai vieille, ça me fera un dentier.***

Non moins avisé, Patrick (quatre ans) conseille :

— ***Il ne faut pas manger trop de fraises, car elles donnent de l'antiquaire.***

Jean-Pierre (dix ans) doit monter sur la table de rééducation. En riant, l'infirmière lui dit :

— Allez, monte là-dessus et tu verras Montmartre.

Alors, Jean-Pierre avec une moue :

— ***On me l'a toujours dit et je l'ai jamais vu.***

*
* *

Daniel (trois ans) se rend, avec son papa médecin, chez le garagiste. Il voit des boîtes sur les étagères :

— ***Qu'est-ce que c'est que toutes ces boîtes?*** demande-t-il. ***Des médicaments pour les voitures?***

Pascal (trois ans) explique :

— ***Un pédiatre est un mécanicien qui répare les petits garçons.***

Michel (sept ans) doit prendre un sirop qu'il faut agiter avant usage :

— ***Maman,*** dit-il, ***remue bien la bouteille, sinon tu laisses tout l'efficace au fond.***

Un petit garçon de quatre ans raconte :

— ***Je suis guéri maintenant, parce que j'ai pris des gentils biotiques.***

Un autre moutard demande :

— *Dis, maman, pourquoi tu ne me mets pas le suppositoire sous le bras?*

Sur la table de chevet de Jean-Jacques (huit ans), il y a deux tubes de vaseline, destinés l'un au nez, l'autre à l'œil du jeune malade. A l'heure des soins, maman dit :

— Maintenant, Jean-Jacques, il faudrait mettre un peu de bonne volonté.

— *La bonne volonté*, demande Jean-Jacques, *c'est le gros ou le petit tube?*

Loïc (six ans) raconte :

— *Maman m'a mis de la pommade, car j'ai de l'imbroglio sur la figure.*

En sortant de l'hôpital, Jean-Patrick (dix ans) demande à son père :

— *Dis, papa, qui c'est le docteur qui a inventé les premières maladies?*

Parmi ces maladies, il en est, hélas! de graves dont parlent aussi les enfants :

— *Elle a une rumeur au cerveau.*

— *Il est tombé d'inhalation.*

Un jeune Allemand disait :

— *Les Français sont idiots. Ils mettent leurs morts dans la bière.*

Christel avait trouvé une solution au problème :

— Maman, disait-elle, tu ne mourras jamais.

— Pourquoi?

— *Oh! parce que papa ne trouvera jamais une boîte assez grande pour mettre une grosse maman comme toi dedans.*

Hélas! les mamans finissent un jour par mourir.

Claude (sept ans) raconte qu'il a vu passer un enterrement.

— As-tu retiré ta casquette? s'enquiert papa.

— ***Pourquoi? Ils ne m'ont pas dit bonjour.***

Les corbillards sont souvent chargés de fleurs. Une petite fille de huit ans demande :

— ***C'est la fête du cheval?***

Tandis que Jacques (quatre ans) appelle sa mère :

— ***Viens voir, maman, tous ces gens qui font la queue pour sentir les fleurs.***

La veille de la Toussaint, Françoise (cinq ans) demande :

— Maman, pourquoi on ne va pas porter des fleurs au cimetière?

— Parce que ta grand-mère est enterrée loin, à la campagne.

— ***Ah! vous pouviez pas la tuer à Paris.***

*
* *

Lorsque j'ai publié mon *Simple Dictionnaire d'éducation sexuelle*, nombre de parents me demandèrent à quel âge ils devaient le donner à leur fils. C'est une question épineuse qui dépend de la maturité des enfants... et des parents.

En tout cas, un jeune Cyril de onze ans voulait lire mon dictionnaire :

— Tu es un peu jeune, dit sa mère, et d'abord sais-tu seulement ce qu'est l'éducation sexuelle?

— ***Oui, c'est l'art de bien se tenir à table.***

L'éducation textuelle, comme disait un autre moutard, est certes délicate et bien des parents sont embarrassés pour répondre aux questions des enfants.

La meilleure méthode reste la franchise et il ne faut pas éluder les questions. Mais expliquer n'est pas toujours facile, en particulier quand il s'agit des tout-petits. C'est pourquoi j'ai publié aussi un *B.A.BA de l'éducation sexuelle* destiné aux plus jeunes.

J'en avais fait lire le texte à Vincent (onze ans).

— ***C'est très bien, mon oncle,*** me dit-il, ***ça ne donnera pas de complexes aux jeunes gens.***

Oui, les explications ne sont pas toujours simples. Maman dit à Hugues (sept ans) :

— Tu sais que Renée est heureuse. Elle vient d'avoir un garçon. Tu n'avais rien remarqué, quand elle est venue il y a deux jours.

— ***Ah! oui, elle souriait beaucoup.***

Une petite fille s'enquiert :

— ***Maman, si une maman n'a pas d'enfant, elle bat son mari?***

A certains enfants on parle des choux et des roses. Telle cette fillette belge de trois ans et demi qui, se promenant avec sa mère, voit un champ de choux autour desquels on a répandu de la suie.

— ***Maman,*** demande l'enfant, ***c'est pour avoir des petits nègres qu'on met de la suie sur les choux?***

Juliette est tellement insupportable que sa mère, excédée, finit par s'écrier :

— Ah! j'ai fait une mauvaise affaire le jour où je t'ai achetée.

— ***Naturellement, avec ta manie des économies, t'as bien dû m'acheter en solde.***

Une mère avait expliqué à Alain (quatre ans) :

— Tu comprends, il y a une petite graine qui vient dans mon ventre.

— Non, interrompt Alain, c'est Dieu qui nous a fait.

— Si on veut.

— Maman, comment est Dieu?

— Je ne sais pas.

— Il a une barbe?

— Je ne sais pas.

— ***Mais, maman, quand le Bon Dieu est venu mettre la graine dans ton ventre, tu l'as pas vu?***

On explique ce que fut la guerre 1939-1945 à deux garçonnets. Au bout d'un moment, Pierre-Emmanuel dit d'un air nostalgique :

— ***Oh! mais tu sais, moi aussi, j'y ai tout vu quand j'étais petite graine dans le ciel.***

Luc (huit ans) a vu un nid d'oiseau. Il demande :

— ***Maman, quand tu m'as eu, est-ce que tu avais des plumes autour de toi?***

Un monsieur dit à un enfant :

— Je t'ai connu tout petit, petit.

— Ah! bon.

— Même avant que tu naisses.

— ***Quand j'avais pas d'âge, alors?***

Une petite fille s'intéresse beaucoup à un bébé qu'elle rencontre de temps en temps au square.

— Quel âge a-t-il? demande-t-elle chaque fois.

Elle apprend ainsi que le bébé a deux mois,

puis trois, puis cinq et un jour elle finit par s'écrier :

— *Il grandit vite ton bébé. Moi, j'ai toujours quatre ans.*

*
* *

Une lectrice belge m'a raconté que, lorsqu'elle était âgée de six ans, elle avait rendu visite à une jeune maman qui se plaignait : « Mon lait n'est pas très bon... »

Et la fillette se demanda très longtemps *pourquoi la dame ne changeait pas de marchand.*

Devenue mère à son tour, ma lectrice emmena un jour son fils Marc (trois ans) voir le bébé d'une amie. A la clinique, on lange l'enfant et sa mère le nourrit. Marc se tait jusqu'à son retour à la maison.

— Mais pourquoi mange-t-elle sa maman? demande-t-il soudain.

On lui explique et, au premier abord, il est horrifié.

— J'ai fait cela moi aussi?

Puis viennent les questions : *Comment met-on le lait dans la maman? Comment le chauffe-t-on? Y met-on du sucre...?*

Par la suite, Marc posa bien d'autres questions et apprit notamment que le papa donne « quelque chose » à la maman pour avoir un bébé. Un jour, en pleine rue, devant une femme enceinte, Marc crie bien fort à sa mère :

— ***La dame a avalé le médicament de son mari, elle attend un bébé.***

Renée (huit ans) regarde sa chatte qui vient d'avoir des petits.

— ***Moi,*** dit-elle, ***quand je serai grande, je ferai comme la chatte. J'en aurai quatre ou cinq d'un coup. Comme ça, je serai débarrassée!***

Tandis qu'Alexis (trois ans) à qui l'on demande s'il aura des enfants, lorsqu'il sera grand, répond :

— ***Oui, des petits éléphants et des vaches.***

Une autre gamine, aînée d'une famille de quatre filles, s'écrie devant le nouveau-né :

— ***C'est papa qui va être content! Celle-là, elle a un petit bâton.***

Corinne (trois ans) a un papa français et une maman allemande.

— Tu es française ou allemande? demande un monsieur à Corinne.

— Française.

— Et ton petit frère?

— ***On ne sait pas encore. Il ne parle pas.***

Une vieille demoiselle demande à Éric (quatre ans) :

— Tu me donnes ta petite sœur?

— ***Dis donc,*** répond Éric furieux, ***tu peux pas t'en faire une.***

Quelque temps avant la naissance, Éric avait remarqué l'embonpoint de sa mère. Comme dans la même période il a vu un ballon de baudruche éclater, il demande avec un visage angoissé :

— ***Dis, maman, tu me jures que tu ne vas pas éclater, hein, c'est sûr!***

Pierre (huit ans) s'étonne :

— *Maman, tes seins, pourquoi tu les gardes puisque Isabelle ne tète plus?*

Maman vient d'avoir un bébé. Montrant son ventre, elle explique à Gilles (trois ans et demi) que le bébé était là.

— Bon, dit Gilles, celui-là tu l'as fait.

Puis, désignant les seins de sa mère, il demande :

— *Les autres, quand les feras-tu?*

* * *

Novembre, la première neige. Alexis admire et s'écrie :

— C'est Noël!

— Non, répond maman, Noël c'est encore loin, tu sais.

— *Alors, on prend la voiture et on y va.*

D'autres enfants, tout aussi pressés de voir arriver Noël, répètent sans cesse à papa ou à maman :

— Tu nous achèteras ceci... Tu nous achèteras cela...

N'en pouvant plus, papa finit par dire sur un ton désabusé :

— Nous ferions mieux de leur acheter la Samaritaine.

La veille de Noël, la famille passe devant une église et la benjamine suggère à son frère :

— *Si nous allions à l'église pour demander à*

sainte Maritaine de nous apporter tout ce que nous voulons.

Quand vient le moment des commandes, beaucoup d'enfants écrivent au Père Noël. Par exemple :

Chez ma grand-mère, je veux un train électrique et, chez mes parents, c'est pas la peine de te déranger, ils ont déjà acheté quelque chose.

Un petit garçon, dont les parents venaient d'emménager dans une H.L.M., était très inquiet :

— ***Le Père Noël,*** demanda-t-il, ***tu crois qu'il pourra passer par le trou du radiateur?***

Tandis qu'un petit garçon de six ans déclarait :

— ***Moi, pour Noël, j'aurai un garagiste à six étages.***

Et Christophe (quatre ans) :

— ***Moi, je voudrais une montre avec un essuie-glace derrière le verre.***

Tous les cadeaux n'arrivent pas au moment de Noël. Une petite fille de cinq ans disait :

— ***Maman m'a acheté un baigneur en cellulite.***

A Pâques, les enfants ramassent des œufs dans le jardin. Bernard, ravi, dit :

— ***Toutes les fleurs ont pondu.***

*
* *

Karine (cinq ans) continue de sucer son pouce, malgré les interdictions maternelles :

— Tu vas devenir aussi laide que les sept péchés capitaux!

Et Karine, inquiète, de s'enquérir :

— ***Ils avaient aussi les dents qui avançaient, les sept péchés capitaux?***

Les inquiétudes métaphysiques commencent parfois tôt. Jean (six ans) revient de l'école, très préoccupé. Il explique :

— ***La maîtresse a dit que nous avions tous, dans la tête, une petite concierge qui nous fait des reproches, quand nous faisons le mal.***

Un garçon de quatre ans a entendu un sermon, au cours duquel le prêtre a dit : « Il est grand le mystère de la foi. » A la sortie, le moutard demande à son père qui est chauffeur routier :

— ***Dis, papa, le mystère de la foi, il est grand comme quoi? Comme ton camion?***

Perchée sur un minuscule vélo, Anne (trois ans) se promène avec sa mère.

— Dis, maman, demande-t-elle, est-ce que le bon Jésus voit tout ce que l'on fait?

— Oui, il voit tout.

— C'est bien vrai?

— Mais oui.

— ***Ben alors,*** s'exclame Anne, ***il voit donc pas que j'ai un vélo trop petit pour moi?***

On a expliqué à Hélène (cinq ans) que le petit Jésus est partout.

— Même à la cave?

— Oui.

— ***Ça doit lui faire mal quand on met du charbon.***

Georges (cinq ans) est préoccupé par le problème de la mort. Il en parle à sa mère :

— Dis, maman, quand on est mort, on respire plus et on nous met dans la terre. Et après?

— Après, mon chéri, on est auprès du petit Jésus, au ciel, et tout va bien.

— ***J'ai compris, maman, quand on est mort, on nous plante en terre et on pousse au ciel.***

Une catéchiste demandait à un petit garçon :

— Quel est le nom du péché commis par nos premiers parents? Voyons, le péché... le péché ori...

— ***Le péché horizontal.***

Tandis que, selon un deuxième petit garçon, ***Adam a été chassé du Paradis terrestre parce qu'il avait mangé du fruit trop fendu.***

Autres perles de catéchisme :

Dieu est un pur esprit entouré d'eau de toutes parts.

Le sacrement de baptême est un sacrement qu'on donne aux enfants et aux cloches.

Et toujours au catéchisme, on apprend que : ***Marie répondit à l'ange Gabriel : « Mon âme glorifie le Seigneur qui s'est jeté sur son humble servante. »***

A l'âge de douze ans, Jésus est allé à Jérusalem pour se recueillir sur le tombeau du Christ.

Jésus a guéri l'homme hydraulique.

Quant aux noces de Cana, voici le récit qu'en a fait Bruno, un petit Belge de sept ans :

Marie dit à Jésus : Y a plus de pinard.

— Toi! A table, et tais-toi!

Avec de l'eau, Jésus fait du bon vin. Ils se sont tous mis à pinter, et tous les invités étaient morts saouls. On s'en souviendra de la noce de Cana!

On connaît la suite. Jésus crucifié ressuscite, puis monte au ciel. « Pourquoi cette ascension? » demandait-on à un catéchumène.

— ***Parce que,*** répondit-il, ***sur terre, il pouvait pas s'y faire.***

*
* *

Odyle se promène. Soudain, elle dit bonjour à un passant.

— Tu connais donc ce monsieur, Odyle?

— ***Non, mais cela pourrait être un prêtre civilisé.***

Une procession. Le prêtre marche sous le dais et une petite Michèle demande :

— ***Pourquoi M. le curé se promène-t-il sous une table?***

Jean-François (trois ans) avait été au cirque où il avait particulièrement apprécié les clowns. Quelques jours après, on l'emmène à la cathédrale de Strasbourg pour la cérémonie d'intronisation du nouvel évêque.

Voyant les prêtres en surplis blanc qui remontaient l'allée centrale, il s'écrie très haut :

— ***Maman, je veux m'en aller, a pas beau ici, les clowns!***

Une petite fille passe devant une église.

— Dis, Michel, demande-t-elle à son frère, c'est là qu'habite le petit Jésus?

— Oui, bien sûr.

— ***Laquelle qu'est la fenêtre de sa chambre?***

Devant une autre église, un petit garçon demande :

— *Maman, pourquoi y a-t-il une croix? Est-ce parce que Jésus a bien travaillé?*

Un moutard de quatre ans a assisté au sacre de l'évêque d'Évreux. Dans la cathédrale, il aperçoit un Christ.

— *Regarde*, dit-il à sa tante, *il n'a pas le même slip que celui d'Asnières.*

Montrant les bénitiers, un autre moutard interroge :

— *Papa, pourquoi il n'y a pas de robinets au-dessus des lavabos?*

C'est l'heure de la messe. Nelly (trois ans) y va pour la première fois :

— *C'est beau les chants et la musique*, dit-elle, *mais si qu'on dansait!*

Anne (trois ans) entend les orgues et s'écrie :

— *Vlà les soldats!*

Un peu plus tard, au moment de la consécration, elle annonce à voix non moins haute :

— *La soupe!*

Jean-François (six ans) habitait à côté du stade de Colombes qu'il fréquentait assidûment. Au moment du Sanctus, il comptait à haute voix les coups de clochette de l'enfant de chœur :

— *Un, deux, trois... partez.*

Mireille (cinq ans) admire le calice et dit :

— *Je veux un coquetier comme celui de monsieur le curé.*

Michel, un petit Belge, explique à sa mère :

— *A l'église, il y a monsieur le curé avec une*

chemise de nuit, tu ouvres la bouche et il te met un jeton blanc dedans.

Véronique (dix ans) est habituée aux messes concélébrées. Un dimanche, elle assiste à une messe avec un seul officiant.

— ***Ils ont une panne de prêtres, aujourd'hui?*** demande-t-elle.

Une autre petite fille (six ans) entend les fidèles répondre à haute voix au prêtre. Elle se retourne et crie :

— ***Taisez-vous. C'est l'homme en chemise qui parle.***

*
* *

J'ai dit que Jérôme ne faisait plus guère de mots. Mais j'en ai retrouvé un, vieux de pas mal d'années. Jérôme entendait parler de la fête des morts.

— Alors, demanda-t-il, on va tuer des gens?

— Non, c'est le jour où l'on va sur la tombe de ses parents morts.

— ***Ah! Et est-ce qu'on peut voir leurs squelettes?***

Un autre enfant disait :

— ***Le jour de la Toussaint, on honore ceux qui sont au ciel. Le deux novembre, on prie pour ceux qui sont au conservatoire.***

Pendant la période de Pâques, un pasteur suisse demande de quoi l'on a parlé à la leçon précédente. Réponse d'un petit :

— *De Jésus sucrifié.*

Pour Thierry (cinq ans), c'est l'heure de la prière :

— *Et faites qu'il y ait moins d'échardes dans ce sale parquet, car lorsqu'on s'agenouille, ça rentre.*

Comme la récitation de n'importe quel texte, les prières des enfants vont rarement sans perles. Par exemple :

— *Salut mon mari. Vous êtes baignée entre toutes les femmes.*

— *Et Jésus fruit confit de vos entrailles.*

— *A été conçu du Saint-Esprit, est né de la vieille Marie.*

— *Est monté au ciel, a souffert sous Ponce Pidou.*

— *Au nom du père, du fils et du syndicat.*

— *Notre Père qui êtes aux cieux, sur un arbre perché.*

Tandis que la fille d'un postier disait :

— *Que votre volonté soit faite, que votre lettre arrive.*

Grand-mère avait expliqué à Dirk qu'il fallait remercier le bon Dieu de tout ce qu'il nous donnait (nourriture, santé, etc.). Sur quoi Dirk commença ainsi :

— *Mon Dieu, je te remercie pour tout ce que tu nous as donné, le pain, la viande... mais pas pour les fraises, je les ai ramassées moi-même.*

Un petit garçon de six ans devait dire un *je vous salue* et demander que son grand-père (qui venait de mourir) aille au ciel. A demi endormi, le moutard bredouilla :

— *Et mettez bon papa entre toutes les femmes.*

Les enfants ne comprennent pas toujours le sens de leurs prières. L'un d'eux récitait pieusement « gémissant sous le poids de mes péchés », mais dans sa tête cela signifiait : ***J'ai mis cent sous, le poids de mes péchés.***

Viviane (neuf ans) disait :

— ***Heureux ceux qui écoutent la parole de Dieu et qui la mentent en pratique.***

Alors que Ginette (neuf ans) préférait dire :

— ***Heureux ceux qui écoutent la parole de Dieu et qui le mettent en barrique.***

Et Marie-Cécile (huit ans) chantait :

— ***Gloire à Dieu, le plus haut des Sioux!***

Les dialogues de l'Unesco

VERS les années 50, Robert Dhéry fit courir tout Paris avec *les Branquignols*. Une des raisons de son succès était qu'il avait placé dans la salle des acteurs chargés de participer au spectacle, sans quitter leur fauteuil. Le public était ravi des reparties de ces joyeux lurons qui mettaient en boîte les acteurs restés sur scène.

En France, le spectateur a toujours eu la dent dure. « Seigneur, vous changez de visage », disait un jour Adrienne Lecouvreur (Monime) à Beaubourg (Mithridate) qui était fort laid.

— *Laissez-le faire!* cria une voix au poulailler.

Dans les villes du Midi, les spectateurs sont encore plus virulents qu'à Paris. Un très mauvais chanteur l'apprit à ses dépens, quand il entonna à Marseille :

— Enfin! me voilà donc dans cette ville immense!

— *As pas peur, mon bon*, lui hurla-t-on, *tu n'y resteras pas longtemps*.

A Toulouse non plus, on n'est pas tendre. Ainsi,

le jour où une petite chanteuse rondouillarde apparut sur la scène du Capitole, entre deux ténors aussi grands que maigres.

— ***Té**,* s'écria un spectateur, ***vise la pendulette entre les deux candélabres.***

Une autre fois, un exécrable chanteur tonitruait :

— J'arrive de Palerme.

— *Retournes-y, feignant!* lui répondit aussitôt un spectateur.

Et ce conseil valait celui que s'attira une malheureuse chanteuse qui eut la déveine d'avoir à roucouler :

— Je chante bien quand il est là.

— ***Va le chercher!*** cria quelqu'un.

Les vieux acteurs connaissent les ficelles du métier et savent éviter ce genre de phrases dangereuses. Ils suppriment sans hésiter du texte les « je n'y comprends rien », « est-ce que cela ne va pas être bientôt fini? » et autres « je ne m'amuse pas beaucoup ici » dont on imagine facilement le sort que le public pourrait leur faire.

Ils se souviennent de ce passage d'*Adélaïde du Guesclin*, longue et ennuyeuse tragédie de Voltaire, dans laquelle un acteur demandait au sire de Coucy :

— Es-tu content Coucy?

— ***Couci-couça***, répondit la salle.

Les vieux acteurs le savent aussi. Quand le traître demande à haute voix ce qu'il doit faire du cadavre, il y a toujours quelqu'un pour lui crier un conseil du genre :

— ***Mets-le en loterie.***

Tandis que la chanteuse qui entonne « J'ai perdu mon Eurydice » risque fort de s'entendre crier :

— ***C'est bien fait pour toi!***

Les Méridionaux sont très pointilleux sur la qualité des interprètes. Un célèbre ténor chantait *la Juive*, au Grand Théâtre de Marseille. Au moment du passage « Rachel, quand du Seigneur la grâce tutélaire », il se contenta de lancer un contre-ut de tête. Alors, une voix cria dans la salle :

— ***Dis, et la note? La note, tu te la penses?***

Les acteurs ne se laissent pas toujours faire. Ainsi cet autre ténor qui, un soir, à Lyon, arborait pour jouer Werther un immense chapeau. Le couvre-chef était remarquable, mais le couac par lequel le malheureux commença son exhibition ne l'était pas moins.

— Dis donc, ténor, lui cria un spectateur du poulailler, tu as un chapeau plus élevé que tes notes.

— ***Oui***, répondit Werther, ***mais toi tu as l'esprit plus bas que ta place.***

Virulente réponse que l'on peut rapprocher d'une autre, plus récente. On jouait *la Fourmi dans le corps*, à la Comédie-Française, et Thérèse Marney criait :

— Je suis vierge, je suis vierge.

— C'est pas vrai! hurla un spectateur du balcon.

Alors un des acteurs s'avança d'un pas et répondit :

— *En tout cas, monsieur, vous n'y êtes pour rien.*

*
* *

Vers 1910, un vieux ténor qui se refusait à dételer devait chanter *Faust*, au Capitole. Les Toulousains, fins connaisseurs, l'attendaient au second tableau du deuxième acte où un certain *si* permet aux chanteurs de montrer ce qu'ils savent faire. Hélas! le malheureux n'était plus capable de grand-chose et il préféra escamoter sa note. D'un coin du paradis, une voix cria :

— Mille dious, la note! La note, il l'a frôlée!

— ***Pas même,*** répondit une autre voix, ***il lui a fait signe.***

Tous les spectateurs ne sont pas des farceurs ou des puristes. Il y a aussi ceux qui, au cinéma, crient encore « attention », lorsque le héros ou l'héroïne est sur le point de tomber dans un piège.

C'était eux que Félix Galipaux appelait « les excellents naïfs » et dont il citait cet exemple :

— Où est mon enfant? Où est-il? se lamentait un jour sur scène une malheureuse mère.

— ***Dans la coulisse de droite,*** cria une spectatrice en larmes.

Plus personnelle la confidence que s'attira Sarah Bernhardt un jour où elle jouait (divinement) *la Dame aux camélias*, à Bordeaux. Comme elle s'étendait, brisée, sur un divan, une voix admirative s'écria :

— ***Oh! p... de moine! Elle se couche du même côté que moi!***

D'autres reparties, pour être plus intellectuelles, ne sont pas moins spontanées. Dans *Coriolan*, un acteur venait de faire sonner pompeusement le vers :

— Vous souvient-il, ma sœur, du feu roi, votre père?

La malheureuse sœur eut soudain un trou de mémoire et resta la bouche ouverte jusqu'à ce qu'un spectateur se lève et réplique par cet autre vers du *Geôlier de soi-même* de Thomas Corneille :

— ***Ma foi, s'il m'en souvient, il ne m'en souvient guère.***

Les naïfs sont peut-être moins nombreux qu'autrefois, mais il y en a toujours. Aux alentours de 1950, je me trouvais au théâtre de la Porte-Saint-Martin où la Compagnie Grenier-Hussenot jouait *les Trois Mousquetaires*.

D'Artagnan venait de découvrir Buckingham, caché derrière une porte, et il demandait d'un air soupçonneux à Mme Bonacieux :

— Qui est cet homme?

Avant que la belle Constance ait eu le temps de répondre, une dame au troisième rang d'orchestre s'écria :

— ***Mais il était à côté de moi dans le métro!***

La plupart des spectateurs gardent cependant leurs réflexions pour la sortie. Ainsi cette brave femme qui, après avoir vu un vaudeville désopilant, confiait à une amie :

— *Maintenant les voilà mariés, c'est fini de rire!*

Alors qu'un père vertueux, montrant à sa fille la jeune première qui venait d'avouer sa faute, disait :

— *Moi, si jamais tu en faisais autant, je te flanquerais une de ces volées!*

La plus belle histoire du genre, ou du moins ma préférée, appartient à la tradition familiale [1]. L'héroïne, si je puis dire, en est Madeleine Mellerio mon arrière-arrière-grand-mère. C'était une petite Italienne de vingt et un ans qui n'était jamais sortie de son village de Craveggia, dans la vallée de Vigezzo, quand mon arrière-arrière-grand-père François Mellerio dit Meller l'y épousa en 1811.

Deux ans plus tard, elle rejoignit son mari qui était un des plus importants bijoutiers de Paris, mais elle se sentit d'autant plus dépaysée qu'elle ne parlait guère français.

Un soir pourtant, François tint à l'emmener à l'Opéra voir *Roméo et Juliette* (de Zingarelli). Étouffant sous sa belle toilette, la pauvre Madeleine ne comprenait pas grand-chose à ce qui se passait. Soudain, elle vit Juliette chanceler et tomber inanimée sur la scène.

— Oh! Jésus Maria! Povera donna! s'écria-t-elle.

Et saisissant convulsivement le bras de son mari, elle demanda :

— *François, disons un « De Profundis » pour cette pauvre femme.*

1. Elle est racontée par Joseph Mellerio dans *les Mellerio* (Paris, Éditions Ollendorf, 1895).

Car elle avait cru que l'actrice venait de succomber à une attaque d'apoplexie.

Les descendants de François Mellerio sont toujours bijoutiers rue de la Paix, à Paris, et leurs perles (qui ne sont pas d'inculture comme les miennes) sont renommées.

Mon cousin Guy dont je vais parfois admirer les collections m'a raconté comment, en 1848, un des fils de François, se rendit à pied en Espagne où les Mellerio ont une succursale. Transportant des bijoux dans des marmottes, il mit deux mois pour accomplir le trajet.

— ***Pourquoi n'avait-il pas pris l'avion?*** demanda une Américaine devant qui l'on narrait récemment l'histoire.

Un autre descendant de François Mellerio continue la tradition. Il s'agit d'un frère de ma mère, Lucien Mellerio, alias « tonton Poil » qui est marchand forain en Dordogne. Au demeurant cultivé, fort bavard et grand amateur de calembours, il vend entre autres choses de la bijouterie fantaisie.

— Un petit banc, un grand choix, dit-il.

« Ce petit qui n'a pas peur des gros », comme il dit encore, se trouvait sur le marché de Périgueux, un beau jour de 1969. Ce jour-là, il vendit un bijou de quelques francs à une baronne avec qui il parla du cousin de la rue de la Paix.

— ***Vous vous appelez donc Mellerio,*** dit soudain la dame, ***alors je pourrais sans mentir affirmer que mon bijou vient de chez Mellerio.***

*
* *

Mes nièces Dominique et Indiana avaient fait les beaux jours ou plutôt les belles pages de mes premiers recueils de perles. Devenues mères de famille, elles me rapportent maintenant fidèlement les mots de leurs enfants. Mais cela ne les empêche pas de continuer à en faire, de temps en temps, elles-mêmes.

Dominique avait dix-huit ans quand elle déclara en montrant ses cheveux coupés courts :

— *Je suis comme Emma Phrodite.*

A vingt-deux ans, Indiana parlait du *Cuirassier Potemkine.* Et, un peu plus tard, à la suite d'une conversation plutôt décousue, elle s'écria :

— *On dirait un dialogue de l'Unesco.*

On peut en tout cas faire un étonnant dialogue avec des perles qui n'ont pourtant rien à voir les unes avec les autres :

— *Défiez-vous de cet homme. C'est un enjoliveur.*

— *Alors ils se sont engueulés comme des poissons dans l'eau.*

— *Ces gens sont bien mal embouchés. Pas étonnant, ils habitent un bidon d'huile.*

— *Ce que j'entends d'une oreille, je ne suis pas obligé de le dire de l'autre.*

— *Quand il s'agit d'oublier quelqu'un, on pense tout de suite à moi.*

— *Ici, tout le monde veut commander, c'est la cour du roi Pédro.*

— ***Vous parlez illisiblement. On ne vous entend distinctement que lorsque vous ne parlez pas.***

— ***Le résultat, c'est que je suis resté gros Jean par-devant.***

— ***Je vais te gifler rectum verso.***

Il arrive d'ailleurs que des gens s'estiment insultés parce qu'ils n'ont pas bien compris. Le gendarme de Courteline avait cru que *de visu* était une injure. De même, mon grand-père disait à un brave homme :

— Il y a des idiosyncrasies [1].

— ***Oh! je vous en prie,*** s'écria l'autre, ***ne me traitez pas d'idiot!***

*
* *

Une dame expliquait un jour à une amie :

— ***Avec tous les beatniks qu'ils envoient tourner là-haut, vous allez voir quel été pourri nous aurons.***

En vacances, quand le temps est mauvais, il reste la ressource de visiter les monuments et bien entendu de pêcher les perles des guides.

A l'occasion de la visite de ruines gallo-romaines, l'un d'eux disait :

— ***Cet escalier descend aux oubliettes et remonte à la plus haute antiquité.***

A l'entrée de la chapelle royale de Dreux,

1. Les lecteurs qui ignoreraient le sens de ce mot le chercheront ou ne le chercheront pas dans un dictionnaire. Cela dépendra de leur idiosyncrasie.

un autre guide montrait un splendide coquillage faisant office de bénitier :

— *Voici un coquillage unique au monde, trouvé par le duc d'Aumale, lors d'une expédition dans le désert. Son semblable est de l'autre côté.*

Tandis que le guide du château de Brest interdisait aux touristes de prendre des photos de l'arsenal et du port militaire, expliquant :

— *Je regrette, mais c'est toujours le règlement de Colbert qui est en vigueur.*

En vacances, on peut recueillir aussi les perles des estivants :

— *Quand la mer se retire, qu'est-ce qu'il doit y avoir profond d'eau au milieu!*

— Vous avez vu, madame, la mer déborde et recouvre la route de Carnac.

— *C'est obligé, monsieur, avec tous les gros bateaux qui circulent sur la mer, il faut bien que l'eau aille quelque part.*

Certains aiment jardiner :

— *Je reviens du potager où j'ai cueilli du persil, du cerfeuil et du ciboulot.*

— *Cette année, j'ai des poires magnifiques. Il n'en faut pas beaucoup pour faire la douzaine.*

D'autres préfèrent bricoler, mais cela ne va pas sans difficultés :

— *Le point noir c'est la lumière.*

— *Je me suis enfoncé une écharpe dans le doigt.*

Quant aux paysans, on peut les complimenter sur leurs récoltes :

— Vos choux sont grandioses, disait un pasteur à un cultivateur.

— ***Ma foi, monsieur le pasteur, mes choux ne sont ni grandioses ni petitdioses, mais simplement dioses.***

Ceux qui ne partent pas en vacances ont la ressource d'aller faire un tour dans la rue. Un de mes lecteurs rencontra ainsi, près de la place de l'Étoile, un ami qui déambulait une laisse à la main :

— Que fais-tu? demanda-t-il.

— Je promène le chien!

— Où est-il ton chien, je ne le vois pas!

— ***Il n'a pas voulu m'suivre!***

En se promenant, on peut aller visiter une exposition de peinture. Et peut-être entendra-t-on un brave homme dire :

— ***Je suis un mélomane en ce qui concerne les œuvres des grands peintres.***

Une jeune fille belge l'était aussi et un de ses voisins lui conseilla :

— ***Puisque vous aimez la peinture, pourquoi n'épouseriez-vous pas un fils de Rubens? Comme ça, vous auriez de beaux tableaux.***

Une autre jeune fille avait épousé un peintre. En apprenant la nouvelle, une dame demanda :

— ***Oh! est-ce un contemporain?***

Toutes mes perles ne viennent pas de France ou de Belgique. En Afrique, par exemple, il y a d'admirables perles noires.

A Ouagadougou, en République voltaïque, un boy disait :

— ***Moi je fais cuire les biftecks avec la mandarine Astra.***

Tandis qu'un docteur qui se trouvait dans une région fort sauvage demanda à son guide :

— Meurt-on beaucoup ici?

— *Non, monsieur, ici mourir une seule fois.*

*
* *

En France, les pondeurs de perles sont parfois d'origine étrangère, tel le directeur de l'hôtel de Balbec dont Marcel Proust cite les perles dans *A la recherche du temps perdu.* Mais il y a aussi beaucoup de Français de France et qui appartiennent à un peu toutes les professions. Écoutons-les.

Dans un autobus de campagne, le conducteur dit à des voyageurs qui restent debout :

— *Les serpentins, c'est tout de même pas fait pour les chiens.*

Un représentant en chauffage central affirme à une cliente :

— *Vous avez la vitesse de l'air qui est égale à celle d'un radiateur.*

Un jeune soldat raconte :

— *À quatre-vingt-seize ans, ma grand-mère trotte comme un gardon.*

Une dame à sa nièce :

— *Véronique, tu viens ou faut-il que je t'appelle?*

Une concierge dit :

— *Je fais des ménages chez un professeur qui est abrégé.*

Une ouvreuse de cinéma propose :

— ***Esquimaux, chocolats, bonbons articulés.***

Interrogé sur le wagon-restaurant, un contrôleur répond :

— ***Ce n'est pas de ma compétition.***

Un ouvrier raconte :

— ***J'ai vu une auto dévaliser la pente.***

Le même disait à un copain :

— Je suis un mutiné du travail.

— ***Tu n'es pas fou!*** s'écrie le copain. ***Ce sont les abeilles qui mutinent. Pas toi!***

Lors d'un voyage à Charleville, on m'a parlé d'un sympathique restaurateur qui fut un grand pondeur de perles. Il s'occupait de jeunes boxeurs et les menait au ***surhomme de leur condition.***

Mais on ne connaît pas toujours la profession de ceux qui parlent :

— ***La lettre que vous m'avez confiée, je l'ai remise en main propre dans la boîte aux lettres.***

— ***Je monte les escaliers par l'ascenseur.***

— ***Il a trouvé le jardin dans un état impitoyable.***

— ***Ce nouveau produit décapite très bien le plancher.***

— ***Il ne sort pas de la cuisine de Jupiter.***

— ***Chaque fois que j'ouvre un parapluie dans la maison, il m'arrive des pépins.***

— ***Le voleur a été pris parce qu'on a trouvé ses empreintes végétales.***

— ***Il voulait faire passer des vessies pour des antennes.***

Soissons. Un monsieur dit à sa petite fille :

— *Ne va pas au bord de l'Aisne. Là, il y a de l'eau jusqu'au fond.*

Et toujours à Soissons, lors d'un bal, un jeune homme un peu trop entreprenant se fit répondre par sa cavalière :

— *Oh! monsieur, je ne suis pas la celle que vous prenez pour qui.*

*
* *

— *On ne peut pas écouter et entendre,* disait une dame.

Essayons tout de même, car c'est une excellente façon de s'instruire sur un peu tous les sujets :

— *La meilleure formule d'assurance auto est la tierce coalition.*

— *Les Juifs juraient sur le Thalweg.*

— *Autrefois, ils avaient plusieurs femmes, mais maintenant ils ne sont plus bilingues.*

— *Michel Strogoff aurait mieux fait de se tenir tranquille au lieu d'aller découvrir l'Amérique, qui nous cause tant d'ennuis actuellement.*

Dînons en famille. Maman demande :

— *Qui est-ce qui a un couteau qui n'a pas mangé de fromage?*

Une autre mère n'est pas contente :

— *Paul, le mur est couvert des empreintes digitales de ta balle.*

Encore une mère de famille :

— ***N'interromps pas ton père quand il m'écoute.***

Une grand-mère dit à son petit-fils :

— ***Parle plus fort, j'ai le nez bouché.***

Une jeune Canadienne de dix-huit ans a découvert un léger duvet sur sa lèvre supérieure.

— ***Maman,*** demande-t-elle, ***est-ce que ça coûterait très cher de faire électrocuter ma moustache?***

Entrons dans un magasin :

— Madame, quel genre de chaussures désirez-vous?

— ***Ben, des chaussures pour marcher.***

Dans une boutique d'Auray, une dame demande des souliers pour sa fille :

— Avec un talon pas trop ras, précise-t-elle.

— Voilà un talon Louis XV, dit la vendeuse.

— ***Oh! Louis XIV suffira.***

On ne trouve pas toujours chaussure à son pied. Après avoir essayé plusieurs costumes, un client s'entendit déclarer par la vendeuse :

— ***Jeune homme, vous êtes à cheval sur deux rayons.***

Continuons le tour des boutiques :

— ***Je voudrais un paquet de tabac à repriser.***

— ***Donnez-moi un slip mais surtout pas en nylon, car je suis énergique au nylon.***

Passons en Belgique où une vendeuse de cosmétiques explique :

— ***Nous avons tous les produits cosmiques.***

Tandis qu'une de mes cousines, qui travaille dans un laboratoire parisien, s'est entendu demander :

— ***Je voudrais, s'il vous plaît, trois pipelettes stériles.***

Chaque pays a ses perles. Il suffit de les noter. Sur le journal de bord des hôtesses du pavillon du Québec, à l'Expo. 67 de Montréal, on trouve cette réflexion d'une dame devant des conifères :

— ***Oh! les beaux calorifères!***

Alors qu'une jeune dactylo de Ouagadougou déclarait en parlant d'un barbu :

— ***Il est très reconnaissable grâce à ce signe destructif.***

A Metz, une dame, sortant d'un film sur la vie de Jeanne d'Arc, dit :

— ***C'est triste! J'ai bien cru qu'on ne la brûlerait pas.***

*
* *

Un instituteur demandait au chef cantonnier de la commune :

— C'est du sel que l'on mélange au gravier pour faire fondre un peu la neige?

— ***Non, c'est du chlorure de sodium.***

A Nérac, ville natale de mon père, l'horloge du tribunal était en panne. Le conseil municipal s'inquiétait à l'idée que l'on ne saurait plus l'heure en ville.

— Il y a le cadran solaire, dit un conseiller.

— Mais la nuit?

— ***Eh bien, la nuit, il n'y a qu'à l'éclairer avec une petite lampe.***

Les machines modernes sont plus compliquées. Une crémière ne réussissait pas à faire une soustraction avec sa machine à calculer :

— ***C'est parce que le courant négatif ne passe plus dans la machine,*** dit-elle.

Explication digne de celle-ci :

— ***Les ondes de sa radio sont usées, c'est pourquoi le poste est en panne!***

Une brave femme, chez qui l'on installait l'électricité, disait :

— ***N'hésitez pas à mettre quelques kilos d'ouate de plus, je paierai.***

Tandis qu'un monsieur confiait :

— ***Ma femme rêve depuis longtemps d'un manteau d'estragon.***

Et le même brave homme expliquait :

— ***Avant de faire cuire un gigot, il faut le piquer avec des cuisses d'ail.***

En Dordogne, un paysan évoque des souvenirs de la guerre 1914-1918 :

— Clemenceau était très intelligent. Il est venu nous voir dans les tranchées, il avait une moustache... comme ça!

Et prenant un air rêveur :

— ***Je me demande comment il pouvait faire chabrol***[1].

1. Faire chabrol (ou chabrot) signifie boire, sans l'aide de sa cuillère, le vin que l'on a versé au fond de l'assiette à soupe presque vide. On dit aussi « godaille sèche » quand il ne reste plus de soupe au fond de l'assiette, et « godaille humide », quand il en reste un peu.

Une jeune femme qui m'a interdit de citer son nom m'a dit :

— ***Je croyais que la traction avant, c'est quand l'auto avait le moteur à l'avant et la traction arrière quand elle l'avait à l'arrière.***

Tandis que, considérant une auto qui ne voulait pas démarrer, ma belle-sœur Françoise d'Eaubonne suggéra :

— ***Il y a peut-être une saleté dans le radiateur.***

Mais les promenades demandent aussi un temps agréable. C'est pourquoi je terminerai par cet ami médecin qui disait à une brave religieuse :

— Il pleut sans arrêt. Ma sœur, faites donc une prière pour que nous ayons du beau temps.

— ***Ah! docteur, c'est que le bon Dieu n'en fait qu'à sa tête!***

Cancrement vôtre

QUE celui qui n'a jamais été cancre me jette la première perle. Car il m'arrive de l'être de temps en temps et mes lecteurs se font une joie de me signaler mes bourdes.

Ainsi, dans *la Foire aux cancres continue*, parlant d'un examen passé en 1941, j'ai dit que trente-huit ans après, je ne l'avais pas oublié. Or, de 1941 à 1969, il n'y a que vingt-huit ans.

Pourtant je me sens moins coupable que dans cet autre chapitre du même livre où j'ai cité comme une perle la phrase : ***L'aube c'est le crépuscule du matin.*** Là, l'élève avait raison, ne m'en déplaise et n'en déplaise au professeur de sixième qui m'envoya la phrase, soulignée au crayon rouge.

Autre perle contestée : ***C'était un berger très pauvre qui n'avait qu'un seul mouton. Il se sentait néanmoins très heureux au milieu de son troupeau.***

Un médecin du 14, pardon du Calvados, m'écrit en effet :

« Dans nos régions, lorsqu'une brebis a des

jumeaux, un des deux agneaux devient la propriété personnelle du berger. Celui-ci peut donc n'avoir qu'un mouton au milieu du troupeau de son employeur. »

Si j'ajoute enfin que, dans *la Bataille du rire*, j'ai affirmé qu'Alec Rougemont était l'auteur de *la Redoute de contrepéteries*, alors qu'il est seulement un grand amateur d'icelles, je crois que j'aurai suffisamment battu ma coulpe, pour me sentir le droit de pêcher les perles des autres :

Les gardes du corps n'avaient ni armes à feu ni l'idée de s'en servir (Michelet).

On me fit voir la chapelle et les appartements des Stuart, fermés aux simples curieux. Ces derniers sont dans un triste état et les cloportes les envahissent (Gérard de Nerval : *la Bohème galante*).

On prête (comme à tous les riches) plus de perles à Ponson du Terrail qu'il n'en fit réellement. J'en ai cité pas mal dans de précédents recueils mais pas celle-ci :

L'aveugle le regarda s'avancer.

Rocambole, le héros de Ponson du Terrail, est un précurseur d'Arsène Lupin et autres OSS 117. Et bien sûr les successeurs ont aussi quelques perles à leur passif :

Le repas composé de charcuterie et de fromage fut arrosé d'une pipe d'écume dont la fumée montait (Maurice Leblanc).

Ils fermèrent la porte à clef, et allèrent la balancer dans le vide-ordures (Josette Bruce : *Halte à Malte*).

Que ce soit au théâtre ou dans un roman, il

arrive que les écrivains fassent dire des choses étranges à leur héros :

— ***Criez merci à Dieu, car vous êtes mort*** (Gérard de Nerval).

— ***Tu sais bien que je ne pense jamais, je pense être au-dessus de tout ça*** (Albert Camus : *Caligula*).

Et dans un roman dont j'ignore le titre :

— ***Si tu mènes longtemps cette vie, tu ne vivras pas vieux.***

Il arrive en effet que mes lecteurs-pêcheurs oublient de citer la référence des perles envoyées. Mais peut-être se trouvera-t-il des érudits pour m'aider à donner un père aux perles suivantes :

Le serpent hypnotisa l'oiseau jusqu'à ce que celui-ci tombe à ses pieds.

Marcel n'avait qu'un bras, mais il volait très bien de l'autre.

*
* *

Lorsque Mérimée fit faire sa célèbre dictée à Napoléon III et à son entourage, il trouva quarante-cinq fautes chez l'empereur et soixante-deux chez l'impératrice. Il est vrai que celle-ci était d'origine espagnole.

Il est vrai aussi que le prince de Metternich ne fit que trois fautes, alors qu'Alexandre Dumas et Octave Feuillet, tous deux de l'Académie française, en firent respectivement vingt-quatre et dix-neuf.

Les académiciens d'aujourd'hui font aussi des fautes. A commencer par Maurice Druon qui a pourtant inventé une dictée du genre de celle de Mérimée. On lui doit entre autres, dans *la Chute des corps :*

Ceux que venaient chercher leur grand-mère.

Alors que François Mauriac a écrit dans son livre sur de Gaulle :

A qui ne sont offertes comme solution et comme espérance que le travail forcé.

Chaque fois qu'une nouvelle initiative de Washington ou de Londres ne feront pas [1]***...***

Il est difficile de prétendre que ce genre de fautes est l'œuvre des typographes. Le professeur émérite qui me les a signalées en a trouvé chez moi, du même acabit. Ce qui prouve que j'ai toutes mes chances d'entrer un jour à l'Académie française. Il m'a aussi appris que ces accords malheureux avec le ou les mots voisins s'appellent des lamartinismes, en hommage à l'auteur des *Méditations* qui en a quelques-uns à son passif.

Un diplôme d'agrégé des lettres n'empêche pas de faire des perles :

1. Si vous avez des académiciens dans vos relations, vous pouvez toujours essayer de leur faire faire cette dictée dont j'ignore l'auteur :

« A la Toussaint, un essaim de cinq saints diocésains synthétisaient succinctement des symboliques mais sempiternels et symptomatiques sixains et dizains, les scindant comme un tocsin au son du clavecin et du buccin à dessein de s'immuniser contre un blanc-seing du Saint-Père. Ces simples éliacins étendus sur des traversins avaient les seins ceints d'une ceinture ornée de dessins au fusain singés des Sarrasins. »

A sa mort, il était célèbre mais inconnu.

Le défunt peut charger une personne de veiller à l'accomplissement de ses volontés.

L'air pur est un air qui n'a jamais été respiré.

Ces phrases n'ont cependant pas été publiées, le correcteur de service étant passé par là. Ce qui ne veut pas dire que les correcteurs soient tous parfaits. A commencer par celui qui, dans un de mes livres, voulait à tout prix remplacer potron-minet par *poltron-minet.*

Les écrivains peuvent aussi être victimes de leurs traducteurs. Tel John Knittel à qui l'on fait écrire dans *le Basalte bleu :*

Ils furent entourés d'enfants sales et couverts de puces aux yeux magnifiques.

Tandis que dans *les Histoires à faire peur* d'Alfred Hitchcock, on lit :

A ce moment, deux hommes ouvrirent la porte et en sortirent.

*
* *

— Je ne lis pas les quotidiens, disait une jeune Belge à une voisine. D'ailleurs la rubrique des chiens écrasés ne m'a jamais intéressée.

— Oh! moi non plus. J'aime trop les animaux.

La rubrique des chiens écrasés a tout de même un intérêt, celui de contenir parfois des perles. Les autres rubriques aussi d'ailleurs :

Sous le soleil toujours bleu des Baléares... (*La Cité*, 4 avril 1967.)

Il restait alors quinze minutes à jouer et Romans allait connaître des heures difficiles. (*L'Équipe*, 4 mars 1968).

Laine : pas de reprise en vue (*Le Figaro*, 6 octobre 1967).

Portrait de Nasser : Regard brillant très noir, denture puissante d'un aigle (*Paris-Match*, 10 mai 1969).

Un troisième inculpé qui avait reconnu être en possession de vingt-trois comprimés d'héroïsme (*Le Provençal*, 1er juillet 1967).

N'oublions pas les petites annonces :

Jeune femme garderait enfants de 0 à 6 ans.

Jeune fille célibataire de 36 ans désire connaître à Meaux petit CLUB du même âge (*La Marne*, 24 février 1966).

Fourreurs font manteaux pour dames avec leur propre peau.

À vendre chaussures pour fillettes d'occasion.

Les deux dernières annonces proviennent de journaux canadiens.

Lors d'un voyage à Montréal et Québec, j'ai recueilli d'autres classiques du cru. Ainsi, à propos d'une réunion qui était en réalité mensuelle :

Les enfants de Marie de la paroisse du Saint-Cœur de Marie tiendront, ce soir, leur réunion sensuelle dans la crypte de l'église.

Sans oublier cette perle en provenance d'un journal de Québec :

Rien ne vaut des crêpes avec du bon sirop d'étable.

*
* *

Il y a des astuces volontaires. Par exemple, cette affiche « Que faites-vous contre la faim? », sous laquelle, un potache écrivit : *Je mange.*

En revanche, ce maire ne cherchait pas à faire une astuce quand il pondit l'arrêté suivant :

Sur le territoire de la commune, la dévaluation des animaux est interdite.

Le cuir respire est une affiche banale. Pourtant, si un colleur facétieux la place sur un cimetière, elle tourne à l'humour noir.

Roulez sur pneu Englebert... Cette publicité n'est pas moins banale. Sauf quand elle figure, à Liège, sur un trolleybus chaussé de pneus Michelin.

Passons à d'autres perles d'un peu partout.

A la devanture d'un coiffeur : *Coupes sur rendez-vous du lundi au vendredi, sauf le samedi.*

Sur un cinéma de Bruxelles : *Le Monde du silence (parlant français).*

Dans un magasin : *En raison des travaux d'aménagement, la direction informe sa clientèle que le premier étage est descendu au rez-de-chaussée.*

L'orthographe n'est pas toujours le fort des commerçants.

A la devanture d'un légumier : *Ici, aujourd'hui, bonne à faire.*

A la devanture d'un horloger de Maubeuge : *Pour toutes réparations, laissez des ares.*

Sur le marché de Pléneuf : *Mac Ro : 4,50.*

Sur la vitrine d'un poissonnier de Milly-la-Forêt : *Haricots écossais.*

Sur un menu de restaurant :
Artichauts à la mort né.
Petits poids au naturel.

Mais le record des fautes a, je pense, été battu à Périgueux. A l'entrée d'un petit souterrain, appelé « le métro » par les autochtones et comportant une entrée « Hommes » et une entrée « Dames », on pouvait lire en 1967 :
Isie L,onrey pare Les Voitaire
seulement a Tres Bientot J'espèr L ouvérture
La Gardienne

*
* *

Ma belle-sœur Frède m'a raconté qu'une de ses amies avait dit à sa jeune bonne :

— Vous allez faire cuire ces cerises, mais triez-les bien et balancez les mauvaises.

Une heure plus tard, la dame revint à la cuisine et trouva la bonne en train de secouer un panier à salade dans lequel il y avait des cerises.

— Qu'est-ce que vous faites? interrogea-t-elle.

— *Je fais ce que Madame m'a dit : je balance les mauvaises cerises.*

Le pied de la lettre a ses dangers. Un notaire de la Creuse disait à un vieux paysan :

— Écrivez « pour acquit » au dos de ce chèque.

Et le vieux écrivit : *Pour à moi.*

Au Mans, un employé de banque disait à un client, en lui tendant un chèque : « Signez au dos. »

Et le client signa : *Audo.*

Histoire digne de celle de ma nièce Indiana. Elle avait vingt et un ans quand elle alla pour la première fois retirer de l'argent à la banque.

— Je mets le chèque au nom de qui ? demanda-t-elle à la préposée.

— De moi-même.

— *Ah ! Et vous vous appelez comment, madame ?*

*
* *

Les secrétaires ne comprennent pas toujours très bien ce qu'on leur dicte. L'une d'elles réclamait le retour d'un document *pour le bonheur de nos dossiers* (au lieu du bon ordre, bien entendu).

Un avocat avait dicté : « La dame X s'est parjurée en prétendant que... »

Sa dactylo tapa : *La dame X s'est parfumée en prétendant que...*

Devant remercier le préfet du Calvados de sa sollicitude, une autre dactylo préféra le remercier *de sa solitude.*

Je termine le plus souvent mes lettres par « cancrement vôtre ». Il y a bien d'autres formules possibles. C'est ainsi que la secrétaire d'un sympathique avoué finissait par *l'assurance de sentiments dévoyés.*

Une secrétaire, jeune il est vrai mais tout aussi brouillée avec le mot « dévoué », concluait :

Veuillez agréer l'expression de mes sentiments d'avoué.

Il y a aussi ceux qui n'ont pas de secrétaire. C'était le cas d'un avocat fort prétentieux, qui n'en terminait pas moins ses lettres par la mention :

Pour Me X..., sa secrétaire...

Jusqu'au jour où, agacé, un autre avocat répondit en terminant ainsi :

Pour Me Z..., sa cuisinière.

***

Continuons à fouiller dans le courrier des uns et des autres.

A un juge du tribunal des pensions : ***Lors des bombardements, je cognai fortement une porte en fer, fracturant mon coude qui était en plâtre.***

A une compagnie d'assurance automobile : ***Messieurs, veuillez trouver ci-joint ma nouvelle voiture à assurer.***

A un organisme de crédit : ***Je viens vous avertir que mon entrepreneur m'a laissé tomber au ras du sol.***

A un avocat : ***Je suis séparé de mon voisin par un mur mitterrand.***

A des amis : ***Pierre et Paul vont bien. La maison avance, les plâtres sont terminés. Ils t'embrassent bien fort.***

A un neveu qui se marie : ***Je t'envoie mes condoléances de bonheur.***

Sans oublier un pêcheur de perles, prénommé Pascal, qui m'écrivit :

J'ai eu la flegme de sélectionner les meilleures perles.

Ceux à qui l'on écrit ne comprennent pas toujours parfaitement. Une vieille Bretonne confiait à ses voisins que sa fille (ex-bonne à tout faire) venait de donner de ses nouvelles :

— Elle m'envoie des sous. Elle a trouvé un nouveau métier. Qu'est-ce qu'on ne fait pas à Paris! Elle travaille comme les hommes, elle est cimentière.

Et, montrant la lettre, elle ajouta :

— ***Regardez, elle me dit : « Je fais le trottoir. »***

Passons au Canada où un brave homme écrivait :

Ma femme vient d'accoucher d'un bébé qui a trente-six ans et qui a besoin de soins immédiats.

En France, la Sécurité sociale reçoit aussi des lettres assez surprenantes. Certaines sont des classiques maintes fois cités, y compris dans mes livres. En voici de moins connues :

Souffrant d'un long magot dans les reins, je voudrais être radiodiffusé pour voir si j'ai le coliose.

Comme vous me l'avez demandé, j'ai collé sur l'ordonnance les petites devinettes des spécialistes.

Mon mari étant dans le coma n'a fait aucune déclaration particulière.

On ne peut pas tout régler par écrit. Les assurés sociaux doivent parfois se rendre à leur centre. Une de mes voisines attendait ainsi devant un guichet. Soudain, elle fit choir une pancarte portant ces mots : « Soyez courtois, ça facilite tellement les choses. » Elle la ramassa et demanda :

— ***Je dois la remettre tournée de quel côté?***

Dans certains centres, il y a maintenant des hôtesses. Ce qui faisait dire à une « assujettie » :

— ***L'hôtesse de l'air de la Sécurité sociale est charmante.***

*
* *

Les lettres qu'écrivent les Africains ont un ton très caractéristique. A commencer par celle-ci, adressée au directeur d'une société de Niamey (Niger) :

Je vous salue à brûle-pourpoint et à bout portant. J'ai l'honneur de solliciter une place dans votre honorable boîte. Je reste aux aguets, attendant votre copie conforme.

Toujours à Niamey, un secrétaire du bureau des Travaux publics écrivait :

Me trouvant bien plongé dans la situation précaire et les circonstances mondiales, ma femme est enceinte et va accoucher dans le mois d'avril, pour me permettre d'être en toutes positions pour ce baptême, je recours à votre compétence s'il vous plaît et s'il vous serait possible l'obtention d'un vieux pneu...

J'ai aussi une lettre rédigée en 1954 par un ***écrivain publique*** de Grand Bassam (Côte-d'Ivoire), pour le compte d'un tailleur, et adressée ***à Monsieur le grand chef des gendarmes, le procureur de la République française.*** Malheureusement, il n'est possible d'en citer que deux phrases, les autres bravant par trop l'honnêteté :

Je demande la justice il soit fait dans la gravité sereine de la gendarmerie plus bon que la police... Je voudrai gagné le domage et les intérêts.

Une lettre plus ancienne, écrite au Togo, était adressée à un missionnaire :

Très révérend père, j'ai l'honneur de venir très respectueusement vous rendre compte que ma femme a fait l'enfantillage. Dieu merci, c'est un garçon. Il sera baptisé le... Je pense que le révérend père se démerdera pour lui trouver un joli nom. Votre fils très dévoué.

En 1970, un habitant du Congo-Kinshasa écrivait en vue d'être admis dans une école technique :

Mon pitoyable préfet,

Je prends la respectueuse liberté d'après votre haute suprématie personnelle de bien vouloir vous envoyer cette lettre...

Un avocat belge m'a raconté que son frère, professeur en Afrique, était chargé de la formation des futurs magistrats. Il leur demanda un jour de rédiger un recours en grâce adressé au chef de l'État. Or, celui-ci était de fort petite taille. D'où l'humour probablement involontaire d'un des recours qui commençait ainsi :

On a souvent besoin d'un plus petit que soi...

*
* *

En France, l'utilité du service militaire est de moins en moins évidente. Beaucoup trop de jeunes gens ont l'impression de perdre leur temps dans des casernes poussiéreuses où ils n'utilisent souvent qu'un matériel périmé. Heureusement, il y a, là aussi, la consolation des perles.

Parmi ces perles figurent les motifs de punition dont l'authenticité est douteuse et dont je cite ces quelques spécimens d'un comique plus ou moins volontaire :

A refusé de payer un verre à son adjudant en déclarant : « Je ne rince pas les égouts. »

A profité de la faiblesse de sa brouette pour lui casser un bras.

A balayé le couloir avec le manche du balai, sous prétexte que cela faisait moins de poussière.

Bon chauffeur, mais consomme plus que son véhicule.

En revanche, je peux garantir l'authenticité de cette feuille de route rédigée pendant la guerre 1914-1918 :

DÉTACHEMENT DE. . . . *1 homme*
COMMANDÉ PAR . . . . . *lui-même*

En 1939, un adjudant d'infanterie devait expliquer le tir indirect à la mitrailleuse :

— *La dérive*, dit-il, *c'est la force qui fait tomber la balle à côté de son point de chute.*

Aujourd'hui, les perles continuent et elles me parviennent en d'autant plus grand nombre que certains bidasses ont pris l'habitude de la pêche au temps où ils étaient élèves.

Un sergent. — *Les fautes contre la morale sont l'atteinte aux bonnes humeurs.*

Un adjudant, devant entreprendre un travail de

longue haleine. ***Avec ce boulot, on n'est pas encore sorti de la berge.***

Un autre adjudant. — ***Quand je dis halte, il faut halter.***

Un dernier adjudant était fort mécontent de la saleté de l'escalier. Et d'expliquer :

— ***J'ai trouvé deux rats en stupéfaction.***

Les perles militaires ne sont pas une exclusivité française. Au Luxembourg, un colonel était furieux que la bibliothèque du régiment ait été confiée à un professeur.

— Je ne veux pas de planqués. Envoyez ce professeur faire l'exercice comme tout le monde.

— Qui faut-il mettre à sa place, mon colonel?

— Un paysan.

— Mais avec un paysan, ça n'ira pas.

— ***Alors, prenez deux paysans.***

Les intellectuels ne sont pas tous doués pour l'exercice. Au bout de deux heures, un professeur belge fut admonesté par son sergent :

— Tu marches comme une poule. Quel est ton nom?

— ***Lecoq.***

Et je terminerai par un bidasse, français celui-là, qui demandait poliment :

— ***Mon général, à votre humble avis, qu'en pensez-vous?***

*
* *

Les lecteurs d'Alphonse Allais connaissent les démêlés du garde champêtre Parju (Ovide) et du braconnier Blaireau. Ce rapport dû à la plume d'un garde forestier de Noirmoutier aurait pu être le récit d'une rencontre Parju-Blaireau :

Et de moi une seule pensée : esquiver. Mais, par un croc-en-jambe rapide, il me projette sur le sol forestier.

Les gendarmes aussi font des perles, à commencer par ce pandore belge dont le « pro justicia » débutait ainsi :

Nous avons entendu M. M... qui s'est exprimé en français et a été compris par nous en néerlandais.

Rapport made in France :

Invité à se calmer, celui-ci n'a pas tenu compte de nos conseils. Tout au plus, il a proféré des menaces par gestes.

Tandis qu'un huissier écrivait :

Il les a pris en flagrant dans le lit.

De rapports en rapports, les affaires finissent par arriver devant les tribunaux et c'est l'occasion de nouvelles perles.

L'audience est ouverte. La Cour d'assises de la Seine juge un incendiaire. Le président demande à l'accusé :

— Étiez-vous ému, en voyant tous ces gens s'agiter pour lutter contre le feu?

— *Non. Ça m'a seulement refroidi.*

Limoges. Un avocat s'écrie à propos d'une bascule effondrée sous le poids d'un camion.

— *Ce camion, monsieur le président, contenait trois tonnes de pommes de terre et, comme chacun sait, les pommes de terre c'est très lourd.*

En Belgique :

— ***Monsieur le président, le monsieur a osé porter contre moi des accusations dénudées de toutes fondations.***

Au Canada. Le juge demande à un jeune accusé :

— Majeur ou mineur?

— ***Plombier, Votre Honneur.***

Revenons en France où, accusé de gestes déplacés (ou trop bien placés) sur des demoiselles en promenade, le prévenu explique :

— ***Que voulez-vous, mon président, quand je vois toutes ces petites jupes... mes mains m'échappent.***

Cependant qu'à la sortie du tribunal, une dame explique :

— ***Il a eu droit aux circonstances éternuantes.***

*
* *

Récital d'Édith Piaf à l'*Olympia*. On se presse dans la loge de la vedette pour la féliciter. Parmi les admirateurs, le poète Louis Aragon. Bruno Coquatrix se penche vers la chanteuse et lui chuchote le nom du visiteur :

— Louis Aragon.

— ***Quoi***, dit Piaf, ***celui du boulevard?***

Cette histoire ne figure pas dans le livre que Tristan Maya a consacré aux perles des libraires et de leurs clients. Parmi ces perles, Tristan Maya a cité *la Foire aux chancres* et *la Foire aux camphres*.

En revanche, Tristan Maya n'a pas cité cette histoire que j'ai lue dans *la Croix du Nord*.

Une dame demande au vendeur, d'ailleurs occasionnel, d'une librairie lilloise :

— Avez-vous *les Mains sales?*

Et l'autre vexé.

— ***Oh, mais, dites donc!***

Une librairie, dans l'Est.

— Vous avez un livre sur la Nouvelle-Calédonie?

— ***Oui, monsieur, nous avons tout sur les nouvelles voitures.***

Les bulletins de commande, adressés à la Maison du Livre français, contiennent aussi des perles. Exemple :

« ***Le Vice dans la vallée*** », de Balzac.

« ***Les Juifs*** », de Pierre Fritte.

« ***Les nouvelles vertes du facteur*** », de Jean-Charles.

Guy Breton dédicaçait ses *Histoires d'amour de l'histoire de France.* Une dame s'approche, circonspecte :

— ***Alors,*** demande-t-elle, ***c'est écrit en breton?***

Dans la région de Bordeaux, un monsieur entre et demande à la jeune vendeuse :

— Le maître de céans, s'il vous plaît.

— ***C'est un livre que vous avez vu en vitrine?***

A La Rochelle, un jeune Thierry voulait *On ne patine pas avec l'amour* d'Alfred de Musset.

Mais je crois que la plus belle histoire est celle de la Bibliothèque municipale de Vichy où *les Fleurs du mal* de Baudelaire furent longtemps classées au rayon botanique.

Cancrissimo

DANS un hôpital, quelque part en France, un médecin interroge un cardiaque :

— Vous arrive-t-il d'avoir de l'essoufflement à l'effort?

— Non, jamais.

Le médecin insiste et le malade explique :

— *Non, je vous dis. Je suis garde champêtre.*

Cette anecdote me vient de Bordeaux et le même toubib m'a raconté qu'il avait demandé à une jeune accouchée :

— Avez-vous l'intention de nourrir vous-même votre enfant?

— ***Oui, mais il faudra me percer les bouts de seins.***

Tous les médecins ont des perles à raconter. Tel ce chirurgien parisien, interrogeant un malade envoyé par un confrère de province.

— Vous avez un pneumo thorax? demanda-t-il.

— ***Je ne peux pas vous dire, c'est ma femme qui a fait ma valise.***

Un médecin de Roanne avait rencontré une

cliente dont le mari avait subi une assez grave opération du larynx.

— Il parle maintenant avec son ophage, expliqua la dame.

— Vous voulez dire l'œsophage, rectifia le toubib.

— *Les ophages... C'est vrai, docteur, qu'il y en a plusieurs?*

Les médecins en entendent quantité d'autres. On leur parle aussi bien de *la tronche d'Eustache* que *des globes des oreilles.*

On leur explique :

— *J'ai été fatiguée par ma concession pulmonaire.*

— *J'ai été opéré d'une occasion inestimable.*

— *On m'a enlevé un kyste de l'Auvergne.*

— *J'ai un ongle incarcéré.*

On leur demande :

— *Quand pourriez-vous faire le vaccin anti-titanic à mon fils?*

Parfois le docteur a du mal à comprendre. Par exemple, que telle cliente qui affirme avoir des *stygmates* est en réalité astygmate.

A Soissons, une brave femme se plaint :

— *Le médecin de la Sécurité sociale est vraiment chinois. Il n'a jamais voulu croire que je souffrais de mon nerf asiatique.*

Toujours à Soissons :

— Votre nom, demande un toubib.

— Borgne.

— Ça s'écrit comment?

— *Comme un aveugle.*

Il arrive que les médecins aient de la peine à se faire comprendre.

— Vous avez trop d'urée, dit l'un d'eux.

— ***Oh! vous me trouvez si vieille que ça!***

Les prescriptions ne sont pas toujours bien appliquées.

— Mangez des biscottes, avait dit un docteur à une vieille dame.

Et elle en mangea ***une après chaque repas.***

Une autre dame, nettement plus jeune et nettement plus grosse, racontait :

— ***Moi, je mange au svelte-service.***

Les régimes n'empêchent pas les visites chez le dentiste. L'un d'eux prenait les empreintes de la mâchoire d'une cliente :

— Mordez, disait-il.

— ***Comment voulez-vous que je vous morde? Vous retirez vos doigts.***

*
* *

Même si l'on ne va pas chez le médecin, il y a tant de malaises et de maladies que les occasions de se plaindre ne manquent pas :

— ***J'ai un mal de tête abdominal.***

— ***J'ai des maux de tête jusques aux pieds.***

— ***J'ai un limbe à gauche qui me fait mal.***

— ***J'ai rendu triples boyaux.***

— ***J'ai eu une dévaluation de la colonne vertébrale.***

— *Le médecin m'a dit que j'avais une anthropophagie.*

Parfois il y a du mieux :

— *Hier soir, j'ai bien dormi, car j'ai pris un sommier de fer.*

Quand on a fini de parler de ses maux, on peut parler de ceux des autres :

— *L'accouchement a été dur. Elle a eu une Saint-Cyrienne.*

— *On l'a bien soigné, on lui a fait la bombe au cobaye.*

— *Après l'accident, elle était dans le cigare.*

— *Ma sœur a un canari au doigt.*

— *Elle a un cloître dans le cou.*

— *Mes enfants ont eu tous les vaccins, même le D.D.T.*

— *Pour maigrir, mon fils fait, chaque matin, des exercices de gymnastique avec des extincteurs.*

— *Mon cousin a un rhume à Baptiste dans le dos.*

Tandis que, parlant d'une voisine qui somnolait toute la journée, une dame disait :

— *Elle est somnambule.*

Hélas! l'issue est parfois fatale :

— *Elle est morte d'un concert à son amatrice.*

— *Il est mort d'une flexion de poitrine.*

— *Ma patronne vient de mourir d'un auxerre à l'estomac.*

Et parlant d'un noyé, une dame expliquait :

— *Il est mort d'élocution.*

Après la mort, vient l'enterrement avec son cortège de croque-morts à la compassion sur mesure. On m'a raconté qu'un des membres de cette corporation portait un petit appareil à fil dans l'oreille.

— Sonotone? lui demanda quelqu'un.

— ***Non, une radio à transistors.***

*
* *

Il y a quelques années, une ravissante demoiselle demanda à un pharmacien de Roanne :

— ***Donnez-moi du thé Select.***

J'ignore si la perle était dictée par la pudeur ou par une mauvaise prononciation de l'anglais. Ce qui est sûr, c'est que la demoiselle voulait des petits objets d'hygiène intime de la marque « the select ».

Après la demoiselle, ce fut au tour d'une vieille dame qui dit :

— Moi, je voudrais du Thé des Familles. J'en prends tous les soirs avec mon mari, mais je me demande si je ne devrais pas changer de marque et essayer ce thé Select.

— Madame, dit le pharmacien avec un bon sourire, depuis quand utilisez-vous le Thé des Familles?

— Depuis vingt-cinq ans.

— Alors, madame, ne changez pas. Vous risqueriez d'être déçue!

Autres pharmacies, autres perles :

— ***Je voudrais une crème contre les cors aux***

pieds, pour une personne utilisant des chaussures encyclopédiques.

— ***Donnez-moi de l'élixir catégorique.***

Parfois il n'est pas facile de comprendre.

— ***Je voudrais de l'aspirine américain.***

De l'aspirine américain... de l'aspirine américain. Ah! oui, de l'aspirine Upsa.

*
* *

Un vétérinaire du Loiret m'a raconté qu'un paysan lui avait dit :

— ***Ma vache a un ultimatum à la fesse.***

Alors que bien sûr il s'agissait d'un hématome.

Une autre vache était plus gravement malade. La fermière expliqua à une de mes amies :

— ***Le vétérinaire est venu. Il n'y a rien à faire, c'est cérébral de la tête à la queue.***

Et au rayon des animaux encore, une jeune fille a dit à ma femme :

— ***Vous savez, on vend maintenant une pilule anticonstitutionnelle pour les chats.***

Les médecins peuvent aussi commettre des perles. La première a été relevée au cours d'une visite médicale :

— ***Tiens ta lunette de la main droite, puisque tu lis de la main gauche.***

La seconde est l'œuvre d'une doctoresse qui disait à sa fille :

— ***Lorsque l'on ne peut pas plier une de ses***

jambes, il faut bien faire marcher les deux autres.

Il est vrai qu'une perle a parfois d'heureuses conséquences. Le *Larousse* du XIXe siècle rapporte qu'un peintre, chargé de faire un portrait de saint Pancrace, écrivit au-dessous *saint Crampace.* Résultat : l'œuvre, exposée dans une petite église du Périgord, fut visitée par une foule de gens persuadés que, comme son nom l'indiquait, le saint guérissait les crampes.

*
* *

Quelque part en Poitou, un violoneux de quatre-vingts ans devait jouer pour faire danser une noce. Blouse bleue, rubans à coquille, il arrive tout guilleret. Quelqu'un lui explique :

— Lorsque le cortège entrera, ce sera le moment de commencer. Pour que tout le monde entende, vous jouerez avec le micro.

Et le vieux d'un air soupçonneux :

— *Es-tu ben sûr que l'jouera comme moé?*

Le progrès a ses avantages et ses inconvénients. Lors d'une visite à Télé-Normandie, François Foucart me raconta qu'un brave paysan lui avait dit :

— *Avant, je pensais pas, mais maintenant avec la télé je pense à des tas de trucs. Résultat : l'autre jour, avec mon tracteur, je suis entré dans une haie.*

La télé peut être la meilleure ou la pire des choses. La meilleure, dans la mesure où elle élargit les connaissances des enfants; la pire, quand les enfants la regardent trop et sont fatigués, énervés, parfois même incapables d'efforts scolaires.

Pour moi, un des mérites de la télévision, et aussi de la radio, reste la possibilité de recueillir des perles. Et cette pêche a l'avantage (selon l'expression d'un animateur d'Europe Nº I) d'être ***réservée à tout le monde.***

En tout cas, le fait d'avoir cité leurs perles ne m'a pas fâché avec les vedettes de la télé ou de la radio. Le seul à se plaindre fut Jean-Paul Rouland qui me reprocha d'avoir omis une perle de lui. C'était à l'occasion d'un jeu radiophonique et il demanda :

— ***Mademoiselle, quel est l'auteur de « Pour qui sonne le gras »?***

Je n'ai pas eu droit, en revanche, aux reproches de Guy Lux qui est indéniablement le champion ès perles de la télévision française. Au point que le 20 août 1970, lors d'une émission d'*Intervilles*, Léon Zitrone affirma qu'il existait un dictionnaire traduisant le langage de Guy Lux en français.

Las! ce jour-là, Léon Zitrone (qui pourtant châtie avec soin son langage) parla de ***Racine tragédien.*** Alors que, bien sûr, il aurait dû dire « auteur tragique ». Si Guy Lux s'en était aperçu, il aurait eu une belle occasion de mettre en boîte son compère et ami.

D'ailleurs, les fautes que tout le monde fait finissent un jour ou l'autre par passer dans la langue. Guy Lux, en contribuant à répandre certaines erreurs, est une espèce de précurseur et il risque d'avoir une grande influence sur l'évolution de notre langue.

« Guy Lux ou le Vaugelas du pataquès », peut-être le titre d'un chapitre de l'histoire du français au xxe siècle.

* * *

Un lapsus est parfois révélateur des pensées secrètes ou de la personnalité de celui qui le commet. Exemple : cette émission de télévision [1] au cours de laquelle, évoquant ma jeunesse, j'ai raconté que je notais les mots de ***mes frères et de mes sœurs.*** En réalité, je voulais parler de mes frères et de mes cousines. Erreur qu'un psychanalyste expliquerait sans doute par le fait que mes cousines Todie et Agneau furent pour moi de véritables sœurs.

En revanche, j'ignore ce que les psychanalystes penseront de cette réponse du champion de ski Guy Périllat sur sa forme du moment :

— ***Eh bien, en descente, je remonte la pente.***

Autre interviewé célèbre, Salvatore Adamo :

— Vous venez de chanter ce soir?

— Oui, je viens de chanter.

— Est-ce que ça s'est bien passé?

1. *Les Perles de Jean-Charles.* Émission réalisée par Jean-Charles Dudrumet.

— ***Oui, pas mal, mais il y a eu une panne et je ne voyais pas ce que je disais.***

Interviewée anonyme, en revanche, cette dame à qui l'on demandait :

— Y a-t-il beaucoup de trafic sur cette route?

— ***Oh! oui***, répondit-elle, ***elle est très trafiquée.***

Une autre dame, interrogée à propos des prêtres ouvriers, affirma :

— ***Les curés doivent rester dans leur tabernacle.***

Un officier de pompiers déclara à Europe Nº I :

— ***Dans la fumée, le temps paraît beaucoup plus long, parce qu'il passe beaucoup plus vite.***

Il est vrai qu'il y a aussi des questions étranges, telle celle-ci posée par un reporter de *Cinq colonnes à la une :*

— ***Quel grade aviez-vous quand vous étiez simple soldat?***

Alors que c'est à la télévision canadienne que l'on annonça :

Et maintenant, voici trois proverbes qui viennent des quatre coins du monde.

*
* *

Les informations, que ce soit à la radio ou à la télé, sont parfois l'occasion de perles cocasses :

— ***La princesse portait une robe chatouillante.***

— ***Les pompiers ont circonscrit le cynisme.***

— ***L'escadrille des triporteurs survole Toulouse.***

— ***Les deux fusées sont parties simultanément à cinq minutes d'intervalle.***

— *Les choses ne cessent de commencer.*

Cette remarque profonde est de Maurice Ferro, alors que je ne sais plus qui a dit, à la radio :

— *Je l'ai entendu de mes propres yeux.*

Tout est possible en fait de perles et le speaker Georges Landrieux parla bien un jour des *inondations dans les Pouilles* avec un *c* de trop.

En revanche, je ne sais pas quel est le reporter qui a dit :

— *Et voici maintenant que s'avancent les jeunes filles des écoles, un sourire radieux aux lèvres. Mais vous n'entendez pas ce sourire car il est silencieux.*

Luc Beyer m'a raconté qu'il décrivait un défilé de revue pour le journal télévisé de la R.T.B. Et d'annoncer :

— *Le ciel est gris pommelé comme une croupe de gendarme.*

Alors que bien sûr il voulait parler d'une croupe de cheval de gendarme.

Comme le reste, le Bulletin météorologique d'Europe N° I a également ses perles :

Le 14 novembre 1969 : *La nuit sera froide dans l'est et ensoleillée ailleurs.*

Le 6 mai 1969 : *Sur la moitié sud du pays, aujourd'hui des oranges.*

Rubrique sportive :

— *Six Anglais ont accompli la traversée de la nage à la Manche.*

Thierry Roland. — *Soeven mesure un mètre quatre-vingt-sept, plus les bras cela ne doit pas faire loin de deux mètres.*

Roger Couderc. — *Je vois une dame qui bat des mains. Si elle continue, elle va être aphone.*

Pierre Loctin. — *Et voilà Chappe, le vainqueur de l'étape entouré d'une très jolie fille.*

De l'autre côté de l'écran, les perles ne sont pas moins nombreuses. Une téléspectatrice de Toulouse se plaignait :

— *Ma petite fille a été thésaurisée par Belphégor.*

Tandis qu'un Éric de six ans, voyant une religieuse, disait :

— *Maman, regarde madame Belphégor.*

Autres perles :

— *Le soir j'aime jouer de la télévision. De bulle en blanc, on nous donne des choses gaies. Ça fait du bien de se déraidir un peu.*

— *On voit des jeunes avec des mammouths sur la tête, comme des femmes.*

*
* *

Il y a des siècles que l'on devrait décorer les pondeurs de perles. A commencer par ce petit seigneur qui s'était rendu à Versailles pour voir Louis XIV. Au retour, il raconta à ses amis :

— *Je l'ai vu ce grand roi : il se promenait lui-même.*

Un maire, s'adressant au roi Louis-Philippe et à sa famille, commença ainsi son discours :

— *Sire, siresse et petit sirop.*

Lors d'un autre voyage, le même Louis-Philippe offrit un cigare au maire d'un village. Tout ému, le brave édile s'écria :

— *Ce cigare, sire. Ah! ce cigare, je le fumerai toute ma vie.*

Le maire de Vichy disait à l'empereur Napoléon III :

— *Majesté, Votre Sire est bonne et nous sommes satisfaits de votre satisfaction.*

Non moins satisfait, un autre maire déclarait plus récemment :

— *La situation n'est pas franche. Je sais très bien qu'on monte une cabane contre moi.*

Au cours d'une fête organisée pour venir en aide aux vieillards de la commune, le même maire s'écriait :

— *Songez, mes chers concitoyens, à la situation précoce des vieillards? Nous aimerions pouvoir les soigner comme des coqs en plâtre.*

Et c'est lui encore qui disait le 11 novembre :

— *Et maintenant, mes chers amis, je vous demande une minute de licence sur les tombes de nos collègues disparus.*

Les maires n'ont pas l'exclusivité des perles oratoires. Un proviseur, qui faisait un discours en faveur d'une ligne maritime, s'écria :

— *La mer ouvre de vastes océans.*

Tandis qu'à l'occasion du départ en retraite de la directrice d'un établissement scolaire, un inspecteur d'académie déclara :

— *Madame la directrice, vous qui voyez votre avenir en regardant derrière vous...*

En revanche, j'ignore la profession de l'orateur qui s'écria :

— *Les bases s'émietteront en poussière, mais les sommets demeureront inébranlables.*

A la Réunion, un candidat aux élections municipales annonça dans son programme :

Nous construirons une grande maternité pour les hommes et les femmes.

Le comique peut parfois être volontaire et c'était le cas pour un autre homme politique, écrivant dans *le Journal de l'île de la Réunion :*

Dépêchons-nous de moderniser cet ouvrage d'art. Ce sera alors un ouvrage dare-dare.

Les perles tombent aussi de la bouche des hommes politiques canadiens. En lisant *le Journal des Débats parlementaires*, entre 1964 et 1968, on trouve :

— *Je soumets que c'est raisonnable sans être déraisonnable, puisque c'est raisonnable* (Johnson).

— *Si ça varie, ce n'est pas fixe* (Lesage).

— *Quelles sont les principales dépenses imprévues que le ministre prévoit?* (Laporte).

Et Pierre Bertrand parla un jour de *Monseigneur le rectum de l'université.*

Autre classique canadien, cette profession de foi, déjà vieille de pas mal d'années :

— *Il faut construire des égouts dans la ville de Québec, afin que tous les chômeurs aient de quoi manger.*

Lors de mon séjour au Canada, en 1966, on m'a aussi raconté qu'un soir, sur le port de Montréal, les douaniers visitaient l'auto de débardeurs (là-bas, on ne dit pas dockers). Ils trouvèrent à l'un d'eux une drôle de tête. Il y avait de quoi :

c'était un mouton congelé, coiffé d'une casquette et que les débardeurs venaient de dérober.

La Belgique étant plus proche que le Canada, j'y vais plus souvent, et toujours avec plaisir, car les Belges aiment beaucoup rire. Là aussi, je recueille des perles. A commencer par celle de ce ministre qui, présidant une réunion d'éditeurs, s'écria :

— ***Mes chers éditeurs, vous avez raison de dire qu'il faut de plus en plus de livres. Il faut aussi de plus en plus d'électeurs.***

Toujours en Belgique, Mgr Cento, nonce du pape, était réputé pour ses perles. C'est lui qui, voyant une colombe dans les armoiries de l'évêque de Tournai, lui disait :

— ***Vous avez un pigeon dans vos armoires.***

Et c'est lui aussi qui déclara :

— ***J'entre complètement dans la combinaison de madame.***

A Bruxelles, vers 1920, un curé qui présidait une distribution des prix commença en ces termes :

— ***Mes chers parents, mes chers enfants, mes chères maîtresses.***

Ce qui vaut un prédicateur parlant de l'homme :

— ***Bien entendu, quand je dis l'homme, j'embrasse toutes les femmes.***

Et un curé de campagne déclara au cours d'un sermon :

— ***Pensons à Jésus qui, un jour, a nourri cinq personnes avec cinq mille pains et cinq mille poissons. Sauriez-vous en faire autant?***

*
* *

Les souffleurs n'existent pas seulement en classe. Il arrive que certains orateurs aient un blanc ou commettent une bévue qui incite leurs amis à « souffler » la bonne réponse.

C'est ainsi qu'il y a quarante ou cinquante ans un sénateur d'Indre-et-Loire qui visitait l'Algérie s'écria :

— En arrivant sur cette terre que nous avons acquérie...

— Acquis, dit une voix à côté de lui.

— ***A qui, mais à la France!***

Alors qu'un député a déclaré :

— ***Je renonce à prendre la parole, car vous venez de répéter ce que j'allais dire.***

On attribue à Antonin Chastel, qui fut maire de Thiers (et même, m'a-t-on dit, un excellent maire), ce toast resté célèbre :

— ***Je bois t'aux z'arts, je bois t'aux lettres.***

Un jour, un ami lui dit :

— J'ai rencontré Madame votre femme. Elle conduit avec maestria.

— ***Oh! non, mon pauvre ami. Ce n'est pas une Maestria, c'est une vieille Peugeot.***

Une autre fois, il discutait de l'implantation d'un aérodrome et proposait un emplacement.

— Impossible, lui répondit-on, à cause des trous d'air.

— ***Qu'à cela ne tienne, les trous d'air, on les bouchera.***

Il était tellement célèbre que ses administrés racontaient cette anecdote, inspirée d'une vieille histoire marseillaise. A la terrasse d'un café parisien, Antonin Chastel prend un verre avec le général de Gaulle et les passants se demandent :

— ***Quel est donc ce militaire assis près du maire de Thiers?***

Il est certain, et c'est le cas de tous les riches, que l'on a prêté à Antonin Chastel bien plus de perles qu'il n'en pondit réellement. J'ai en effet du mal à croire que, lisant le nom de Louis XVI, il ait parlé de ***Louis ixe vé un.***

En revanche, c'est bien lui, semble-t-il, qui s'écria sur la tombe d'un conseiller général :

— ***Tu as toujours été un fervent républicain et, plus tes facultés intellectuelles allaient s'affaiblissant, plus tes sentiments républicains allaient s'affermissant.***

Une dernière perle du Puy-de-Dôme, mais elle a été attribuée à tort au maire de Thiers. C'est en effet le sénateur Marroux qui affirma :

— Radicaux je suis, radicaux je resterai.

— Cal, lui souffla quelqu'un.

— ***Cale! Non, je ne calerai jamais.***

Table des matières

COLLECTION « LABICHE »

(Extrait du catalogue)

Béatrix Beck (Dialogues de). — PREMIER MAI, tiré du film de Louis Saslavsky.

Jean Bommart. — LE GENDARME DU BOUT DU MONDE.

Jean Burnat. — MES FANTÔMES ET MOI.

— MES ÉLÈVES ET MOI.

Anne-Marie Carrière. — ALI-BABA ET LES QUARANTE POÈMES.

Georges Coulonges. — LE GÉNÉRAL ET SON TRAIN *(Grand prix de l'Humour 1964).*

— LA LUNE PAPA *(Prix Alphonse Allais 1966).*

— LE GRAND GUIGNOL.

— CLUDE *ou le pays des tomates plates.*

Bernard Dimey. — AUSSI FRANÇAIS QUE VOUS...

Efdé. — MONSIEUR CHÉRAMI.

Jacques Faizant. — ALLEZ VOUS RHABILLER!

— RUE PANSE-BOUGRE *(Grand prix de l'Humour 1958).*

— NI D'ÈVE NI D'ADAM.

— AU LAPIN D'AUSTERLITZ.

— ALBINA ET LA BICYCLETTE.

Michel Fermaud. — CINQ A SEC.

Guy Geoffroy. — A L'HEURE ESPAGNOLE.

— RÉSIDENCE SECONDAIRE *(Prix Alphonse Allais).*

Mina et André Guillois. — LE CŒUR A RIRE.

— NOTRE RIRE QUOTIDIEN.

Yves Jamiaque. — LE GRAND SIRE.

Jacques Jaubert. — LE CANARD ET LES JUMELLES. *(Grand Prix de l'Académie de l'Humour.)*

Jean-Charles. — LES PERLES DU FACTEUR.

— LES NOUVELLES PERLES DU FACTEUR.

— HISTOIRES A NE PAS METTRE ENTRE TOUTES LES MAINS.

— LA FOIRE AUX CANCRES.

— LE RIRE EN HERBE.

— LA FOIRE AUX CANCRES CONTINUE.

Madeleine Jocteur. — AU PAYS DES PHARAMINES.

André Lang. — LE SEPTIÈME CIEL OU LA JARDINIÈRE DE MINUIT.

Randal Lemoine. — CES CHERS PETITS *(Prix des Humoristes 1954)*.

— DES TUILES ET DES HOMMES.

— LE BAISER CHINOIS *(Grand prix de l'Humour 1966)*.

Randal Lemoine et Louis de Lesseps. — LA LANGUE A TOUTES LES SAUCES.

Roland Mehl. — JULES LE MAGNIFIQUE.

Jacques Natanson. — LA NUIT DE MATIGNON *(Prix Courteline 1960)*.

Noctuel. — LA VIE EN CHOSE *(Prix Maurice Betz)*.

— DICTIONNAIRE FRANÇAIS-ROSSE.

Christian Nohel. — LES HISTOIRES DU TOUT-PARIS.

Jacques Rouland. — LES EMPLOYÉS DU GAG (« Gardez le sourire », « la Caméra invisible »).

Robert Schinasi. — RUE ATTARINE.

Roger Semet. — LE CORSAGE A BRANDEBOURG *(Prix Alphonse Allais)*.

— LA BOUITE.

— CONTES POUR UNE DÉSERTEUSE.

André Valtier. — FAUT DES PRINCIPES.

— UN DRÔLE DE TOUR.

Maryse Vincent-Neveu. — SALUT, BOURGEOIS.

ACHEVÉ D'IMPRIMER SUR LES
PRESSES DE L'IMPRIMERIE FLOCH
A MAYENNE LE 27 JANVIER 1972
N° 10880
CALMANN-LÉVY, 3, RUE AUBER,
PARIS-9e — N° 9936
Dépôt légal : 1er trimestre 1972